Clamor en el Barrio

Título original:
"Outcry in the Barrio"

Victory Temple Ministries
Fort Worth, TX 76164

Men's Home
2526 Columbus
(817)626-1819

Women's Home
2517 Loving St
(817)378-0921

Church
3425 N. Elm St.
(817)624-9687

Pastor Gerald Salomon

Por
Freddie y Ninfa García

Traducido por
Ninfa García

Portada:

Library of Congress Catalog Number: 89091475

ISBN: 0-9619319-1-4

IMPRESO EN SAN ANTONIO, TEXAS, EE. UU.

Esta es una historia de la vida real. El nombre de ciertos personajes ha sido cambiado para proteger su vida privada.

Material bibliográfico usado en esta edición:

Publicado Por
Freddie García Ministries
P.O. Box 37387
San Antonio, Texas 78237

Freddie y Ninfa García

La sociedad dice que: "Una vez adicto a las drogas, siempre lo será," pero Cristo Jesús dijo, "Yo soy el camino, y la verdad… y la verdad os hará libres."

Dedicatoria

Este libro está dedicado con cariñoso agradecimiento:

A la memoria de mis padres, quienes me criaron con amor y comprensión y nunca se dieron por vencidos conmigo.

A mi esposa Ninfa. La Biblia dice: "Si logras hallar una esposa realmente buena valdrá más que las piedras preciosas. Su marido puede confiar en ella... No le servirá de estorbo sino que le ayudará toda la vida... la mujer que teme a Dios y lo reverencia será grandemente alabada"[1]. ¿Quién podrá encontrar una mujer buena? Mi padre halló una mujer buena, y gracias a Dios, yo también. Para mí, Ninfa, tú eres la mujer buena que la Biblia describe.

A mis amados hijos Francisco, Ricardo, Sandra, Jesús, Josefina, Pablo y Jubal. Amo a cada uno de ustedes. La Biblia dice: "Los hijos son un regalo de Dios; recompensa suya son. Los hijos de padre joven son como agudas saetas que lo defienden. Dichoso el hombre que tiene su aljaba llena de ellos..."[2]. Mi oración es que cada uno de ustedes ame y sirva al Señor Jesucristo y tome el consejo de Dios a Jeremías: "El Señor dice: 'Que no se enorgullezca el sabio de ser sabio, ni el poderoso de su poder, ni el rico de su riqueza. Si alguien se quiere enorgullecer, que se enorgullezca de conocerme, de saber que yo soy el Señor, que actúo en la tierra con amor, justicia y rectitud, pues eso es lo que a mí me agrada. Yo, el Señor, lo afirmo.'"[3]

---

[1] Proverbios 31:10-12, 30b, La Biblia al Día

[2] Salmo 127:3-5, La Biblia al Día

[3] Jeremías 9:23,24, Dios Habla Hoy

Agradecimientos

Mil gracias a mi sobrina Isabel "Lizzy" García Garay por su paciencia y fidelidad al mecanografiar, una y otra vez, el manuscrito en sus muchas etapas de desarrollo.

A Sarah Jorunn Ricketts porque no quiso escribirnos el libro sino que en vez de eso, nos enseñó el arte de escribir. Ella nos *discipuló*[a] durante doce años, llevándonos por el proceso de la creación del manuscrito desde el primer esbozo hasta su culminación.

A toda nuestra familia del "Compañerismo Victoria" por sus oraciones y su apoyo.

A Ramón Vásquez y Sánchez por la creación del diseño de la portada.

También expresamos nuestro agradecimiento a Paul Annan por proporcionarnos su conocimiento y su ayuda, dirigiéndonos a través del proceso de la preparación del manuscrito para su publicación. Paul pasó muchas horas en la computadora poniendo el manuscrito en su última etapa de preparación para el linotipo.

A Bob Jernigan del taller "Creative Typography" de Tyler, Texas, quien con nosotros, cuidó de la tipografía y compartió su experiencia en publicación de libros hasta vernos llegar a la etapa final, previa a la impresión.

Gracias mil a Linda Rojas y Pilar Malo de Wellbaum por su ayuda en corregir la versión en español. A Rolando Romero por preparar el linotipo y a todos los que contribuyeron para que se publicara esta versión.

---

[a] *discipular*: Este término, que en la lengua española no existe como verbo, es usado en algunos círculos cristianos como sinónimo de "formar", "hacer" discípulos

"Le invito a que lea tanto el libro *Clamor en el Barrio*, como el testimonio de la vida de Freddie García. El cual se va escribiendo gradualmente por la misma pluma de Dios."

Monseñor Patricio F. Flores, D.D.
Arzobispo de San Antonio, Texas, 1987

"Los que sufren de la drogadicción, alcoholismo u otros problemas que los dominan, serán salvos a través de la lectura de esta maravillosa historia. Compártelo con tus amigos y familiares aún no convertidos, sabiendo que hará un impacto en sus vidas."

David Wilkerson
Autor de *La Cruz y el Puñal*, 1988

"El Pastor Freddie García, comprende que sólo el poder de la fe y un despertamiento espiritual puede alcanzar la alma que duele y el corazón quebrantado. *Clamor en el Barrio* capta la historia de su vida y su creencia con gran magnitud."

El Honorable Henry Cisneros
Alcalde de San Antonio, Texas, 1988

"Uno de los retos más grandes de América el día de hoy es el poder renovar una visión espiritual entre nuestra gente. Tu libro y ministerio nos encamina hacia esa meta…"

William P. Clements, Sr.
Posteriormente Gobernador de Texas, 1988

"Todos deben leer este libro. Las palabras del Pastor Freddie y Ninfa García son un testamento del poder transformador y sanador de Dios para usar a los que fueron quebrantados, para invitar a Cristo a todos los que aún duelen."

Robert L. Woodson, Sr.
Presidente de National Center for
Neighborhood Enterprise, Washington DC, 2001

"Cuando empezamos a leer *Clamor en el Barrio* en nuestra clase, ¡podías escuchar un alfiler caer al suelo! Es un libro de tragedia, triunfo y esperanza. ¡creo que debe depositarse en toda biblioteca escolar en este país!"

Ray Castellanos, Maestro
Cuellar Middle School,
Weslaco, Texas, 2001

"Se de chamacos que no llegan a clase, sin embargo ese día no faltaron, por tal de leer *Clamor en el Barrio*. Su entusiasmo es evidente — Ellos pensaban que nadie escribiría acerca del mundo que muchos de ellos ven diariamente. ¡Gracias!"

Debra A Briscoe, Maestra
de Lectura, Cotulla, Texas, 2001

"La tenacidad conque el corazón de Freddie se da para rescatar al perdido en el nombre de Jesús, y con la ayuda del Espíritu Santo, para edificar en ellos una nueva manera de pensar y vivir la vida ha sido de bendición a la iglesia."

David Walker, Pastor de
Alamo City Christian Fellowship,
San Antonio, Texas, 2001

Luchador local contra las drogas es honrado por el Presidente Bush

*"el hombre que ha regresado
del precipicio
es quien mejor puede
enseñar el camino a los demás."*

…**PRESIDENTE BUSH, refiriéndose**
a Freddie García—

Reconocido: El Presidente Bush coloca un reconocimiento "Exito a pesar de los obstáculos" Sobre Freddie García, durante una ceremonia, en la Casa Blanca el día jueves.

Prólogo

Por David Wilkerson

Cuando se trata de escribir biografías no hay fin. Después de un tiempo, parece que todas ellas corren juntas, especialmente las historias de adictos y criminales conversos.

Aquí tenemos un libro que destaca entre todos. Es un drama intenso; tanto, que el lector encontrará difícil dejar el libro hasta no haber leído la última página.

Freddie y Ninfa han procurado verdaderamente glorificar a Cristo al narrar la milagrosa historia de sus vidas. Creo que es por eso que el libro tiene tanto poder. Creo que muchos que sufren por causa de la drogadicción, el alcoholismo y otros problemas que controlan la vida, serán salvos por medio de la lectura de esta maravillosa historia. Es un libro que pueden dar a sus amigos que no se han convertido o a familiares, sabiendo que logrará un impacto en sus vidas.

Conozco a Freddie y a Ninfa hace muchos años y han demostrado, con su forma de vida y testimonio cristiano, que su historia es más que eso: ¡Es un milagro de la gracia de Dios que se acrecienta constantemente!

A Freddie se le conoce ahora cariñosamente como OBISPO, entre los muchos exdrogadictos y alcohólicos que son pastores de iglesias. Es verdaderamente un padre en Sión, que por su vida y dedicación a Jesucristo ha dado ejemplo de integridad y desinterés, tan raros en nuestros días.

El lector de este libro está frente a un emocionante encuentro con el poder de Dios. Abróchese su cinturón y prepárese para un emotivo viaje de montaña rusa, porque usted va a llorar, a reír y a regocijarse con la gracia todopoderosa de Jesucristo.

Siervo de Jesucristo,
David Wilkerson
Autor de *La Cruz y el Puñal*

Indice

Capítulo 1

Quiero Ser Yo

Tú hiciste todas las delicadas partes internas
de mi cuerpo y las uniste en el vientre de mi
madre.
¡Gracias por haberme hecho tan
admirablemente complicado!
Es admirable pensar en ello. Maravillosa
es la obra de tus manos, ¡y qué bien la conozco!
Tú estabas presente cuando yo estaba siendo
formado en el más completo secreto.
Tú me viste antes que yo naciera y fijaste cada
día de mi vida antes que comenzara a respirar.
¡Cada uno de mis días fue anotado en tu libro!

Salmo 139:13-16
La Biblia al Día

San Antonio, Texas, marzo de 1981—El silencio del
cementerio fue interrumpido por el saludo de veintiún
disparos de rifle. Luego, se escuchó a lo lejos el triste
sonido de un clarín dando el toque de despedida a un
soldado de la patria, ya fallecido... No pude contener
más las lágrimas.

Los seis soldados que formaban la guardia de honor,
retiraron la bandera que cubría el ataúd y la doblaron
con cuidado. Uno de ellos la tomó, y con paso militar
se acercó a mí:

—Señor García, en nombre del Presidente de los
Estados Unidos, del Comandante de las Fuerzas Ar-
madas y de los ciudadanos de esta gran nación,

hacemos entrega de esta bandera, como símbolo del servicio que este miembro de su familia prestó a su patria.

Medio aturdido, tomé la bandera y la acerqué a mi pecho. Casi podía escuchar la voz de papá hablándome de cuando defendió a su patria en los campos de batalla durante la Primera Guerra Mundial. De cómo al llegar a su pequeño pueblo de San Marcos, Texas, la noticia de que su patria había entrado en guerra, sus dos hermanos y él dejaron el arado a medio campo para enlistarse en el ejército.

De niño, nunca me cansé de escuchar las historias de combate: los temores, las luchas, las victorias. Compartía el orgullo que sentía papá por haber servido como soldado bajo la bandera norteamericana. Papá amaba a nuestro país y siempre nos había inculcado que los Estados Unidos de América era la mejor nación. ¿En qué otro lugar del mundo, la gente pobre como nosotros, podría realizar sus sueños y alcanzar un alto nivel de educación?

*   *   *

...¡Qué bien recuerdo aquel día de septiembre de 1944, cuando fui a la escuela por primera vez! Desperté por el olor del café recién hecho, los frijoles refritos y el sonido familiar del rodillo de mamá golpeando la mesa mientras extendía la masa para las *tortillas*[a] del desayuno.

Los fuertes rayos del sol resplandecían a través de las hendiduras de las tablas verticales que formaban las paredes del cuarto. El corazón me palpitó con fuerza

---

[a] *tortillas*: especie de pan sin levadura en forma de círculo y aplanado, hecho de masa de harina de trigo o de maíz. En San Antonio son más comunes las de harina de trigo

al descubrir, en un rincón, los zapatos, la camisa y el pantalón de pechera nuevos que me estaban aguardando. Mamá me los había comprado en una tienda de segunda. Había ahorrado sus centavitos del dinero que ganaba lavando y planchando ropa ajena. Escondía sus ahorros en una bolsa, debajo de unos costales de papas y de frijoles que estaban en la cocina, dentro de un cajón de madera. Mi hermano Chito, un poco mayor que yo, les había dado lustre a mis zapatos hasta dejarlos como nuevos, y papá ya hasta me había enseñado a amarrarme las agujetas.

Era yo el menor de siete hijos, nacidos de Feliciano y Josefa García.

Vivíamos en el lado Oriente de San Antonio, en un *barrio*[b] donde la mayoría eran méxico-americanos, con excepción de unas cuantas familias de negros. Nuestra casa, de dos cuartos, daba a un callejón de grava que desembocaba en la calle Olive. Había ocho casas de renta idénticas a la nuestra. Todas compartían el mismo patio trasero, dos excusados al exterior y una sola llave de agua.

Había nacido en esa casa y ahora tenía seis años de edad: era suficientemente grande para salir de casa yo solo; suficientemente grande para comenzar la escuela. ¡Cómo deseaba aprender a leer libros, a escribir y hablar inglés!... aun cuando papá y mamá no podían hablarlo muy bien.

Ansiosamente salté del cobertor en que dormía en el suelo y me vestí. Mis hermanos y hermanas, todos mayores que yo, también se estaban levantando.

---

[b] *barrio*: parte o distrito de una población grande. En San Antonio, parte de la ciudad donde predominan méxico-americanos

Doblé mi cobertor y lo puse con los de ellos en la esquina del cuarto. Durante el día, nuestro dormitorio se convertía en sala.

Papá ya estaba en la mesa de la cocina tomando su café con pan dulce. Cuando entré, sonrió y anunció:

—Ya se levantó el hombre de la casa—extendió sus brazos hacia mí y me llamó— ven, hijo, siéntate aquí conmigo.

Al sentarme sobre sus rodillas, papá se volteó a mamá y le indicó sonriendo:

—Dale tantito café al hombre de la casa.

—No—objetó—. Alfredo está muy chico todavía.

—Dale su taza de café, mamá—insistió papá—, m'ijo[c] es macho.

¡Hoy era un día muy especial! Papá no había ido al trabajo sólo por mí y ahora mamá me servía café negro en una taza grande y blanca, como la de papá. Le puso una cucharadita de azúcar y lo puso delante de mí meneando un poco la cabeza como en desacuerdo. Me apresuró con una sonrisa:

—Andale, o vas a llegar tarde a tu primer día de escuela.

Di unos cuantos tragos al café endulzado y a la carrera me comí casi todo el desayuno. Mamá me dio una bolsita con mis tacos[d] para la hora del recreo y abriendo la puerta, nos despidió a los dos.

Tomado de la mano segura de papá, caminamos las nueve cuadras hacia la escuela primaria "Ben Milam", hasta llegar al salón de clase que me habían asignado. Algunos niños estaban llorando mas papá ya me había explicado que no tenía nada que temer.

---

[c] m'ijo: mi hijo
[d] tacos: tortilla enrollada, rellena de diferentes guisados

Cuando papá se disponía a salir del salón, le jalé el pantalón y le dije:

—Papá, ¿vas a venir por mí para llevarme a casa?

Sonrió, y acariciándome el cabello con su mano, me contestó:

—Seguro que sí, *m'ijo*; yo vengo por ti a la salida.

Papá habló con la maestra en su inglés mal pronunciado y luego se retiró. Cuando ya se habían ido todos los padres, nosotros los niños, nos quedamos viéndonos unos a otros, sin saber qué esperar.

La maestra comenzó a hablarnos. Tenía la voz muy agradable y sonreía mucho, pero para terror mío, no pude entender ni una sola palabra. Esperé largo rato para ver si se explicaba en español, pero nunca lo hizo. Me comenzó a latir fuertemente el corazón; las manos se me empaparon de sudor y sentí que el estómago se me encogía de puro miedo.

A mi alrededor, los otros niños parecían estar muy atentos a lo que la maestra decía. ¿Acaso ellos sí entendían? Algunos de mis amigos del *barrio* tenían una expresión en blanco, pero cuando la maestra y los niños anglo-americanos se reían, mis amigos del *barrio* también se reían. Yo, por el contrario, me sentía miserablemente perdido y no me atreví a moverme de mi lugar hasta que sonó la campana y formamos una fila para salir al recreo.

En el patio de la escuela sentí gran alivio al oír al *conserje*[e] hablando en español. Sin embargo, cuando regresamos al salón, mi temor volvió. Traté de ocultarlo, y cuando la maestra y los anglo-americanos reían, yo también reía.

---

[e] *conserje*: el que tiene a su cuidado la custodia, limpieza y llaves de un establecimiento público, en este caso, la escuela

—Bueno, hijo, ¿cómo te fue en tu primer día de escuela?—preguntó mi papá cuando me recogió esa tarde.

—Bien, papá—. No me atreví a darle la cara.

Cuando llegamos a casa, mamá nos esperaba afuera regando sus plantas con una cubeta de agua.

—¿Te gustó la escuela?— me preguntó.

Sabiendo lo felices que ambos estaban por mi ida a la escuela, les mentí:

—Sí, mamá.

Al día siguiente, por medio de una intérprete, nuestra maestra nos explicó:

—Si en alguna ocasión tienen que ir al baño, solamente digan: *"Teacher, may I be excused to go to the bathroom?"*[f]

Para un niño de seis años de edad cuyo idioma era el español, aquella era una oración difícil de recordar. Más tarde, cuando mi amigo Ricardo pidió permiso, revolvió las palabras:

—*"Teacher, may l go to the bath excuse?"*[g]

Los niños anglo-americanos se doblaban de risa, haciendo con esto que todos los niños del *barrio* se pusieran rojos de vergüenza. Yo sentí el aguijón de la humillación a pesar de que no había dicho ni una sola palabra.

Días después, tuve necesidad de ir al baño durante la clase. Desesperadamente quería hablar, pero tenía miedo de que los *gringuitos*[h] se fueran a burlar de mi inglés masticado. Con una angustia cada vez mayor, esperé que sonara la campana; pero sonó demasiado

---

[f] *"Teacher, ...bathroom?"*: Maestra, ¿me permite ir al baño?

[g] *"Teacher,...excuse?"*: Maestra, ¿me ir al baño permite?

[h] *gringuitos*: término usado para definir al anglo-americano

tarde. Me ardían las mejillas al ver que mis compañeros se tapaban la nariz y movían sus sillas para otro lado. ¡Qué vergüenza sentía cuando la maestra me llevó a un lado, y en una voz muy suave me dijo unas palabras que yo no pude entender!

Por fin, llamó al *conserje* para que interpretara. Este, con una mirada compasiva, me preguntó:

—¿Te hiciste en los pantalones?

Bajé la cabeza al borde de las lágrimas. Palmeándome el hombro, el *conserje* me consoló:

—No llores; tu maestra dice que puedes ir a casa a cambiarte de ropa.

Al llegar a casa le conté a mamá lo sucedido. Yo pensaba que me iba a regañar, pero no lo hizo. Mientras me ayudaba a lavarme y a cambiarme, le supliqué:

—Mamá, por favor, no me vuelvas a hacer que vaya a la escuela.

—¿Que qué?—dijo severamente—¡Oyeme bien, Alfredo! ¡Vas a ir a la escuela y vas a aprender tu inglés! Cuando crezcas vas a poder competir para conseguir un trabajo que pague bien. ¿Me estás oyendo?

Por su tono de voz supe que el asunto estaba concluido. De alguna manera tenía que aprender a sobrevivir en la escuela. Y gradualmente, al paso de los meses, los extraños sonidos del otro idioma empezaron a cobrar sentido. Podía distinguir ciertas palabras y hasta pronunciarlas.

*　　*　　*

En el segundo grado comenzamos a aprender cantos nacionales como *"God Bless America"*[i], y yo me

---

[i] *"God Bless America"*: "Dios Bendiga a América"

había memorizado *"The Pledge of Allegiance"*[j] aun sin entenderlo totalmente. Sin embargo, durante el recreo, todos los chiquillos que éramos méxico-americanos jugábamos, y naturalmente, hablábamos nuestro propio idioma: el español.

Un día, repentinamente, la maestra nos paró el juego. Les hizo una seña a dos niños anglo-americanos para que se acercaran y los abrazó. Luego se dirigió a nosotros:—¿No saben que es falta de educación hablar otro idioma delante de alguien que no lo entiende? Ustedes pueden ofender a esa persona. Además, ustedes están viviendo en *América*[k], y en *América*, nuestro idioma es el inglés. Es más, ¡todos ustedes son americanos y deberían hablar solamente inglés!

Dirigiéndose a la niña méxico-americana más cercana añadió:

—María, de hoy en adelante tu nombre será Mary; Rogelio, tu nombre será Roger—. Continuó la maestra hasta que llegó a mí—. Alfredo, ¿cómo quieres llamarte, Fred o Freddie?

Encogiéndome de hombros dije:

—No importa.

—Entonces, tu nombre será Fred—decidió—. De ahora en adelante, cualquiera que yo sorprenda hablando español en la escuela, se quedará después de clases o recibirá unos cinturonazos como castigo.

Ese mismo día me decidí a practicar mi inglés más

[j] *"The Pledge of Allegiance"*: "El Juramento de Alianza"

[k] *América*: a diferencia de los otros países que designan con este nombre al continente americano, los estado-unidenses suelen referirse específicamente a los Estados Unidos

diligentemente, tanto en la escuela como en mi casa. Pero mamá rápidamente me puso el alto:

—No, Alfredo—y me señalaba que no con el dedo casi en mi frente—. Practicas tu inglés en la escuela. Durante el recreo, cuando andes con tus amiguitos que hablan español, está bien que hables tu idioma; pero cuando esté presente una persona que habla inglés y que no entiende el español, entonces hablas inglés por respeto a esa persona. Aquí, en la casa, practicas tu español. Así, *m'ijo*, vas a poder hablar los dos idiomas.

—Pero mamá—repliqué—, la maestra nos dijo que somos americanos y que los americanos hablan inglés, no español.

—Tu maestra tiene razón—me explicó sentándome a su lado—. Eres americano porque has nacido en los Estados Unidos. Pero eres de ascendencia mexicana. Si tú pierdes tu idioma español completamente, *m'ijo*, estarás perdiendo una parte de lo que Dios te dio. Además—añadió—, ni tu papá ni yo hablamos inglés muy bien; así que para nuestro beneficio, en la casa vas a hablar español.

Instintivamente comprendí que mamá tenía razón. Pero al mismo tiempo, yo ansiaba ganarme la aprobación de mi maestra y que mis compañeros que hablaban inglés me aceptaran como su igual.

*   *   *

En el tercer año, mi profesora colgó una cartulina grande al lado del pizarrón y anunció:

—Voy a poner aquí los nombres de los alumnos que tengan las mejores calificaciones. Estos recibirán una estrella dorada. Los alumnos que saquen el segundo lugar, recibirán una plateada.

Ansiosamente acepté el reto:—*Me voy a sacar la estrella dorada y voy a hacer que mi nombre aparezca en la lista*—me dije a mí mismo—. *¡Yo sé que lo puedo hacer!*

La primera vez que pusieron los nombres, anhelosamente revisé la lista de arriba abajo. Se me cayó el alma al suelo al ver que sólo los nombres de *gringuitos* tenían estrellas.

—No importa—me consolé—. Voy a esforzarme aún más y lo voy a lograr la próxima vez.

Pero cuando pusieron la lista siguiente, mi nombre tampoco apareció. Aun así, seguí insistiendo una y otra vez, pero con cada fracaso, mis esperanzas se hundían más y más y mis dudas aumentaban.

—*A lo mejor es verdad que los méxico-americanos somos tontos*—pensé.

Esa misma noche, mamá entró a la recámara y me sorprendió frente al espejo.

—¡Alfredo!—gritó—.¿Qué estás haciendo?

Corrió a traer una toalla mojada y comenzó a quitarme el polvo blanco que me había puesto en toda la cara.

—Quiero ser *blanco*[1] mamá—luché por contener las lágrimas—, porque quiero ser listo como los *gringuitos*.

—*M'ijo*—se le habían nublado sus cálidos ojos oscuros—, tu hermosa piel morena no tiene nada que ver con que seas tonto o listo. Eso sólo depende de qué tanto estudies.

—¡Pero mamá!—volví a insistir—. ¡Sí estudio! Me esfuerzo en estudiar, pero como quiera, los *gringuitos* son los únicos que sacan las estrellitas doradas. Los *gringuitos* siempre saben las respuestas.

---

[1] *blanco*: anglo-americano

Movió la cabeza con una tierna sonrisa.

—Tú no eres tonto, Alfredo, sólo lo parece porque los *gringuitos* te llevaban ventaja desde el primer día de clases. A ellos les enseñan en su propio idioma.

No estaba convencido.

—Entonces, ¿cómo es que en ninguno de los libros que he leído en la escuela hay algún méxico-americano?

Se veía como si quisiera explicarme algo, pero en cambio me tomó por los hombros y sugirió:

—Vamos a hacer una cosa *m'ijo*. Les voy a decir a tus hermanas, Estela y Aurora, que cuando lleguen temprano del trabajo, te ayuden a estudiar. Así podrás mejorar tus calificaciones. Ahora, vamos a la cocina que te voy a hacer una *tortilla*.

Sentado frente a la mesa, viendo trabajar a mamá, me sentí feliz y seguro otra vez. La lámpara de *petróleo*[m] proyectaba un cálido círculo de luz sobre el piso de tablas y sobre las desnudas paredes de madera reluciendo de limpias. Mamá había hecho unas alegres cortinas para las ventanas, con tela de sacos de harina. Detrás de la estufa de hierro, se encontraba un montón de leña, muy bien acomodado, que papá y yo habíamos cortado esa mañana.

Observaba las manos expertas de mamá extendiendo las *tortillas* y dejándolas caer en el comal caliente. El aroma de la *tortilla* al cocerse, el crujido de las brasas ardientes y la tenue luz de la lámpara me hacían sentir un calor muy grato por dentro.

Al día siguiente, en la escuela, trataría de estudiar con más ahínco.

*　　*　　*

---

[m] *petróleo*: keroseno

La maestra de cuarto año era la señora Emery, y me cayó bien desde el principio. El primer día de clase, después de cerrar cuidadosamente la puerta, nos dio la bienvenida:

—Ustedes, los niños méxico-americanos, tienen la suerte de estar aprendiendo dos idiomas—nos sonrió—. Nosotros, los anglo-americanos, sólo hablamos inglés. En cambio, a ustedes, su herencia cultural les ofrece la oportunidad de ser bilingües.

En nuestra clase había treinta alumnos, y los méxico-americanos éramos la mayoría. En ese instante, les sonreí a mis amigos y me relajé en mi asiento. Este año— prometía ser muy bueno.

La señora Emery era profesora de historia y hacía sus clases muy interesantes y animadas. Estudiamos la cultura de los indios de *América*. Aprendimos a hacer tambores con el hule de las cámaras de llantas y latas de café. Hicimos también tiendas, arcos y flechas. Un día muy memorable, la maestra invitó a un indio de verdad, vestido con su traje típico, que danzó para nosotros. Al poco rato, todos comenzamos a jugar a "los indios y a los vaqueros" y todos queríamos ser los indios.

—A ustedes los méxico-americanos les corre sangre india por las venas—nos informó la señora Emery—. Y los indios sabían vivir de la tierra. Ellos no destruían la vegetación ni los animales nada más por gusto. Cazaban sólo para proveerse de alimento, vestido y techo para sus familias.

El corazón me palpitaba con entusiasmo todo el camino hasta llegar a casa. Esa noche, cuando papá llegó del trabajo, le pregunté:

—¿Es cierto que tenemos sangre india?

—Sí—papá sonrió—. Tenemos sangre india y sangre española. ¿Verdad, mamá?

—Es verdad—contestó mamá, asintiendo con la cabeza—. Hace muchos años, cuando los españoles conquistaron a los indios de México, nació nuestra raza.

Las enseñanzas de mi maestra y las explicaciones de mis padres me hicieron sentir importante. Se sentía bonito saber que yo era especial. Pero me esperaba una cruel decepción.

La televisión era un lujo que no podíamos darnos, pero nuestra vecina, la señora Zúñiga, compró la primera televisíon del *barrio* e invitó a todos los niños del vecindario para verla.

Ahí vimos nuestra primera película de vaqueros. Pero, para mi desencanto, los indios eran siempre salvajes incivilizados que siempre acababan perdiendo la guerra contra el *blanco*. Mis amigos y yo sentimos vergüenza cuando oímos al "Llanero Solitario" insultar a su compañero el indio, llamándolo *"Tonto"*[n]. La palabra *tonto* para nosotros, era sinónimo de "torpe". De ahí en adelante, siempre que jugábamos, nadie quería ser *"Tonto"*. Todos queríamos ser el "Llanero Solitario".

*   *   *

En el quinto año recibí otro golpe en mi amor propio.

—Necesito llenar estos reportes—anunció la señora Johnson—. Cuando escuchen su nombre, díganme en qué trabaja su papá. ¿Harold?

---

[n] *Tonto*: en inglés, el compañero del "Llanero Solitario" se llama *"Tonto" y no "Toro"*, como cuando la serie está doblada en español

—Mi papá es vendedor de seguros de vida.

—¿Patty?

—Mi papá es vendedor.

—¿Arturo?

—El trabaja en lo que sea, señora—tartamudeó tímidamente.

—Sí, Arturo—repitió la maestra enfáticamente—, pero ¿cuál es su oficio?

Todos clavaron los ojos en Arturo, que se había puesto rojo y se retorcía.

—Yo no sé, señora—susurró a duras penas—. Abre zanjas y…

En ese instante todos los niños soltaron la carcajada. La maestra se dio cuenta de su error. Sin haber sido ésa su intención, convirtió a Arturo en el hazmerreír de todos. Trató de enmendar el daño y le ordenó a la clase que guardara silencio.

—Tu papá es un obrero, Arturo. No hay nada de que avergonzarse. Tu padre trabaja con sus manos.

Pero el daño ya estaba hecho. Y mientras ella seguía preguntando a los otros niños, yo cavilaba angustiosamente:—*¿Qué voy a decir o cómo lo digo? Se van a reír de mí también*—. En ese momento me nombró a mí:

—¿Freddie?

Yo quise esconderme.

—Es *conserje*, señora—. Apenas si se me oía la voz y escondí la cara cuando la ola de risas alrededor me abatió.

—Ya les enseñaré—me prometí a mí mismo—. Jamás permitiré otra vez que una maestra me ponga en ridículo.

Cuando llegué a casa le platiqué a mi hermano Chito. Pero él, rápidamente me advirtió:

—Más vale quo no te portes mal en la clase de la señora Johnson, porque te pegará con la vara.

Mamá escuchó el comentario de Chito. Asintiendo con la cabeza aprobó:

—¡Qué bueno! Si tú no haces caso de lo que ella te mande, Alfredo, mereces que te pegue. Yo creo que si los maestros sacrifican su tiempo para educar y ayudar a criar a mis hijos, también tienen derecho de darles una buena cuando se portan mal o no hacen caso.

La señora Johnson hacía honor a su fama. Exigía que le entregáramos la tarea a tiempo.

—¡Aprendan a leer y escribir!—nos recalcaba—. A ustedes no les va a gustar pasarse la vida haciendo zanjas. Es un trabajo, pero les podrá ir mejor con una buena educación.

Mamá estaba encantada con mi maestra, pero yo pensaba que la señora Johnson era mala. Hasta se parecía a la "señorita Canuta", la maestra gruñona de los cuentos de "Archie". Un día, antes de comenzar la clase, dibujé a la "señorita Canuta" en el pizarrón y abajo le puse el nombre de mi maestra. Lo firmé: "Hecho por Doug". El era un *gringuito* que vivía cerca de la casa y muy seguido jugaba conmigo.

El dibujo causó sensación en la clase. Todos los alumnos se estaban riendo cuando la señora Johnson entró al salón.

—Doug, ¿hiciste tú esto?—su cara se veía serena pero la traicionó su voz y reveló que la habíamos lastimado.

—No, maestra.

—Pero sí sabes quién lo dibujó, ¿verdad?

Doug evadió su mirada y movió la cabeza negativamente.

La maestra clavó los ojos en cada uno de nosotros y exclamó con firmeza:—Para mañana quiero saber quién es el responsable de esto.

De camino a casa, después de clases, Doug me alcanzó.

—¿Por qué le pusiste mi nombre? Voy a tener que decirle que fuiste tú quien lo hizo.

Permanecí en silencio pero mentalmente tramaba cómo detenerlo. Cuando llegamos a mi casa le pedí que se quedara un rato.

—¿Ya llegaste de la escuela, Alfredo?—gritó mamá desde la cocina donde ella y papá estaban tomando café.

—Sí, mamá, ya llegué.

En el portal de atrás había un columpio de cuerda que mi papá me había hecho, atado a una viga de madera del techo.

—Tú primero—le ofrecí a Doug.

Con una sonrisa de satisfacción, se acercó para sentarse en el columpio.

—¡Espera! Necesito componer la cuerda—le advertí. Me subí a una silla para alcanzar el nudo. Doug no sospechaba nada. Sin tardar, desaté un lado del columpio y sostuve la cuerda que colgaba suelta de la viga. Con la otra mano, rápidamente le di vuelta a la cuerda alrededor del cuello de Doug y comencé a apretarla.

—Voy a colgarte, para que no le digas a la maestra quién fue.

—¡No! ¡No!—exclamó Doug con la voz entrecortada y los ojos llenos de terror.

—¡Alfredo, déjalo!—gritó mamá y se apresuró a detenerme.

Solté la cuerda y papá se la quito rápidamente del cuello y le dijo:

—¡Go home, run![ñ] ¡Pronto!

Doug salió corriendo como flecha.

Sin pronunciar palabra, papá se quitó el cinturón y yo me di cuenta de lo que me esperaba. Después de la paliza, papá y mamá exigieron saber por qué había querido matar a Doug.

Les dije la verdad.

—Pero, ¿por qué le pusiste el nombre de Doug a tu dibujo?—preguntó mamá.

—Pensé que como él es anglo no lo castigarían.

—Oh, Alfredo—mamá movió la cabeza con un gesto de desesperación—; te iban a castigar, pero no por ser méxico-americano, sino porque hiciste mal.

Nunca supe si Doug dijo algo, pero la señora Johnson jamás volvió a mencionar el incidente.

*   *   *

Aquel año, cuando llegó el verano, papá y mamá, Chito, María y yo, nos fuimos a trabajar a los campos de algodón. Mi tía, mi tío y todos mis primos fueron también. Trabajábamos largas horas, desde que salía el sol hasta que se metía, pero el sábado y el domingo nos íbamos de pesca o a cazar conejos o a nadar a un estanque. Nos divertíamos tanto que se nos olvidaba lo pesado del trabajo.

A papá le pagaban los sábados y todos nos íbamos al pueblo. Papá y mi tío se tomaban unas cervezas mientras mamá y mi tía Cata iban de compras. Todos los chiquillos nos íbamos al cine.

Un sábado que estábamos en el pueblo, papá sugirió

[ñ] ¡Go home, run!: ¡Vete a casa! ¡Córrele!

que fuéramos a cenar a un restaurante. Al llegar a la entrada, nos detuvo un anglo-americano y nos dijo en inglés:

—Ustedes no pueden entrar aquí, este Café es solamente para *blancos*. Si quieren comer, vayan a la parte de atrás, allí tenemos un lugar para los negros y los mexicanos.

Papá trató de explicar pacientemente:

—Yo soy americano y traigo dinero.

—¡Usted no es *blanco*, señor!—el hombre se impacientó—. ¡Váyanse atrás!

—¿Qué dijo?—preguntó mamá.

—Dice que no somos *blancos* y que nos vayamos a comer atrás con los negros—yo le traduje a mamá.

—¿Cómo es que nadie preguntó de qué color era tu papá cuando se fue a la guerra?—le temblaba la voz—. Los méxico-americanos son los primeros que llaman y ponen a pelear en el frente. Alfredo—me hizo una seña—, dile en inglés lo que dije.

Antes de que pudiera decir una sola palabra, papá me detuvo:

—Cállate, Alfredo. El no va a entender.

Me mordí los labios para no llorar. La rabia me quemaba por dentro. Fue un incidente que juré nunca olvidar.

*   *   *

Mi actitud se había endurecido cuando regresé a la escuela en el otoño.

—*Speak English, Freddie!*°—me llamó la atención mi maestra de sexto año.

—¿Qué dijiste?—le contesté en español insolentemente.

° *Speak English, Freddie!*: ¡Habla inglés, Freddie!

Todos los méxico-americanos se rieron y la maestra nos amenazó:

—¡Guarden silencio o se quedan todos después de la clase!

Sonreí triunfal al tiempo que sonaba la campana. Un punto a mi favor.

A los cuantos días, en la clase de historia, la maestra preguntó:

—¿Quién descubrió *América*?

—Yo creo que los indios descubrieron a Cristóbal Colón—, contesté.

Toda la clase soltó la carcajada. El semblante de la maestra enrojeció. Ignorándome se dirigió a Jeffrey y le repitió la pregunta:

—¿Quién descubrió *América*?

—Colón, señora.

—Muy bien—aprobó con elogios.

Dirigiéndose a nosotros, los méxico-americanos, preguntó:

—¿Cuáles son los nombres de las tres carabelas de Colón?

Ninguno contestó y ella imploró:

—Por favor, vamos todos a participar. Si acaso no saben la contestación correcta, no importa. Estamos aquí para aprender.

Evadimos su mirada. Julio empezó a escribir en su cuaderno; Sergio recostó la cabeza sobre sus brazos e hizo como que dormía; Chemo dejó caer su lápiz al suelo y se agachó a recogerlo y yo me quedé viendo por la ventana.

La pobre maestra no se daba cuenta de que por más cariñosamente que nos preguntara, no íbamos a responder. Por mi parte, nunca más iba a ser humillado, y nadie se iba a burlar de mí otra vez.

Después de mi último día en sexto año, llegué a casa y encontré un convivio familiar. Había dos tinas en el patio, llenas de agua con hielo, con dos sandías golpeándose en el agua helada. Ya habían cortado la tercera sandía y toda mi familia la estaba saboreando, mientras escuchaban polcas en la radio.

—Toma—me dijo mamá, alargándome un pedazo de sandía.

En ese mismo instante, papá me indicó:

—Ven y siéntate a mi lado, Alfredo. Quiero hablar contigo.

Estaba muy serio y yo me retorcí nervioso. *¿Qué era lo que sabía mi papá?*

—Tu hermano Chito me dijo que la pandilla de la calle Austin anda fumando mariguana—me miraba inquisitivo—. No quiero que andes juntándote con pandillas, y mucho menos con ellos. Cuando entres a la escuela "Emerson" este año, júntate con buenos muchachos.

Le di una mordida a la sandía para escapar a su mirada. Papá no sabía que su consejo llegaba demasiado tarde. Yo ya había escogido a mis amigos entre los *"batos locos"*[p] como Benito, Mario, Pancho, Rodolfo y el Flaco. Ellos eran *chicanos*[q] como yo, orgullosos de nuestra herencia mexicana, que no se avergonzaban de nuestro idioma ni de nuestra cultura. Para entonces, ya habíamos formado nuestra propia pandilla juvenil de la calle Austin.

---

[p] *"batos locos"*: los muchachos que fuman mariguana

[q] *chicanos*: personas de ascendencia mexicana nacidas en los Estados Unidos

Capítulo 2

Los Batos Locos[a]

Hijo mío, atiende la instrucción de tu padre y
no abandones la enseñanza de tu madre
Proverbios 1:8
Dios Habla Hoy

El hijo sabio alegra al padre,
pero el hijo necio es tristeza para su madre.
Proverbios 10:1
Biblia de Las Américas

—¡Oye, Carmen!—gritó Flaco—. Echale dinero a
la sinfonola.

Cuando la música de rock and roll saturó la botica
Van Ness, los *chicanos*[b] del *barrio*[c] comenzaron a
bailar de arriba abajo por los corredores.

—¡Alto!—grito Andy, el dueño de la farmacia—. Ya
saben que no deben bailar aquí.

Nadie le hizo caso y movió la cabeza con desánimo:

—Es por demás insistir. Me doy.

Pancho y yo, ignorando la escena, salimos de la
botica en el preciso momento que Yolanda, una

---

[a] **Los Batos Locos**: los muchachos que fuman mariguana

[b] *chicanos*: personas de ascendencia mexicana nacidas en
los Estados Unidos

[c] *barrio*: Parte o distrito de una población grande. En San
Antonio, la parte de la ciudad donde predominan los
méxico-americanos

chamaca de nuestro *barrio*, pasaba por la acera de la mano de un anglo-americano.

Sarcásticamente le preguntamos:

—Esa, Yolanda, ¿ya se te acabaron los frijoles? Volteó hacia nosotros y con altanería contestó:

—¡Cállense... bola de mexicanos!

—¡Oye, Freddie, fíjate en esta *chavala*[d]! Yolanda está más prieta que algunas de las negras del *barrio*, y se cree que es *blanca*[e].

—Si, hombre—me burlé— hasta parece que trabaja limpiando chimeneas.

—¡Ja,ja,ja!—todos los muchachos a nuestro alrededor se carcajearon. Pero yo sentí que la ira me invadía. Quería destrozar al *gringo*[f] engreído y darle una buena paliza; darles a él y a la renegada de Yolanda una buena lección.

—¡Cómo me gustaría embarrar a su precioso "símbolo *blanco* de categoría"por el suelo y escupirlo!—murmuré.

Benito, Mario, Rodolfo y el Flaco, se nos habían acercado a Pancho y a mí. Habían escuchado mi comentario. Rodolfo escupió cuando Yolanda y su novio dieron vuelta a la esquina.

—Vamos, Freddie—me aconsejó—, déjalos; no valen la pena. Vámonos mejor a ponernos *locos*[g]. Yo puedo hacer que "El Dormilón" me dé tres *grifos*[h] por un dólar.

Yo ya había experimentado con la cerveza, la gasolina

---

[d] *chavala*: muchacha
[e] *blanca*: anglo-americana
[f] *gringo*: término usado para definir al anglo-americano
[g] *locos*: bajo la influencia de la mariguana
[h] *grifos*: cigarrillos de mariguana

y el tiner con la pandilla, pero esto era otra cosa. Dudé por un momento acordándome de la advertencia de papá: *"Nunca vayas a fumar mariguana, Alfredo"*.

Al notar mi indecisión, Pancho insistía:

—Andale, Freddie, no hay nada qué temer. La *grifa*[i] no es como la *chiva*[j] que te *prendes*[k]. La puedes dejar cuando quieras.

Juntos caminamos a la casa del traficante, pero cuando llegamos al parque Lockwood, Rodolfo se detuvo:—Espérenme aquí, porque si "El Dormilón" nos ve a todos, se va a asustar y no me va a vender nada.

Cruzó la calle y se metió a una casa. En seguida regresó con la sonrisa de oreja a oreja. En su mano traía seis cigarrillos muy delgados, enrollados a mano. Le abrió las dos puntas a uno de ellos, lo prendió y le dio varios *toques*[l] deteniendo el humo en los pulmones lo más que pudo. Luego me pasó el cigarrillo a mí.

Siguiendo su ejemplo, chupé el cigarrillo y contuve la respiración. En unos cuantos segundos me pegó el efecto de la droga. Empecé a sentir que era el *chicano* más inteligente del *barrio*. Desde ese día en adelante, nadie me podría convencer de que la mariguana era mala... Yo estaba enamorado de la *grifa*.

En unas cuantas semanas aprendí a comportarme con normalidad bajo la influencia de la mariguana. Nadie se daba cuenta de que iba *loco* a la escuela. La droga me dio confianza. Ahora sí era realmente parte de la pandilla de los *batos locos*. Ya me aceptaban

---

[i] *grifa*: mariguana

[j] *chiva*: heroína

[k] *prendes*: envicias

[l] *toques*: inhalar el humo del cigarro

completamente mis compañeros, pero aún no estaba satisfecho. Quería ser admirado por todos; que ellos anhelaran ser como yo. Deseaba sentir la embriaguez de la popularidad. Unicamente veía un pequeño problema, pero me daba pena mencionárselo a mamá.

Sin embargo, una tarde, después de asegurarme de que mamá estaba sola en la casa, entré a la cocina, cogí una *tortilla*[m] recién salida del comal y me senté al lado de la mesa. Como si nada le pregunté:

—Mamá, ¿puedo ir a la tienda a comprar pan y mortadela para mi comida de mañana?

—¿Pan?—se sorprendió—, ¿qué no te gustan los *tacos*[n] que te hago?

—Si, mamá—le aseguré—, especialmente los de chorizo mexicano con frijoles refritos. Pero en la escuela se ríen de nosotros cuando llevamos *tacos* de la casa

—¿Quién se ríe?—preguntó dolida—. ¿Son acaso los *gringuitos*?

—¡No, mamá! A los *gringuitos* les gustan mis *tacos*. Siempre me quieren cambiar sus bocadillos de jamón por mis *tacos*.

Me empezaron a sudar las manos, y nerviosamente, añadí:

—Mamá, la verdad es que son los méxico-americanos los que se burlan de nosotros. No se burlan en tu cara, pero los he visto burlándose a espaldas de Pedro, porque sus padres no pueden comprarle pan ni mortadela.

—¡Pues están locos!—contestó enojada—. ¿De qué

---

[m] *tortilla*: especie de pan sin levadura en forma de círculo y plano, hecho de masa de harina de trigo o de maíz

[n] *tacos*: tortilla enrollada, rellena de diferentes guisados

se ríen? ¿Acaso no comen *tortillas* en su casa? ¿No es eso lo que comen sus padres: frijoles, chile y *tortillas*?

—Por favor, mamá—le imploré—, ¿puedo ir a la tienda a comprar pan y mortadela?

—Tú sabes muy bien, Alfredo—me apuntó con el dedo en la cara—, que tienes que esperar hasta que llegue tu papá para que le pidas permiso a él.

Yo sabía perfectamente que con una familia tan grande como la nuestra, se necesitaba cada centavo para la comida. ¡Cuán grande no sería mi sorpresa ver que, cuando le pregunté a mi papá me dijo que sí!

Muchas veces, después de ese incidente, me tocó sentarme en la escuela al lado de Pedro, comiéndome mis bocadillos, mientras él mordisqueaba feliz su *taco*. Se me hacía agua la boca al verlo cómo saboreaba su *tortilla* con frijoles; pero nunca me atreví a pedirle una mordida. Qué tal si alguien me veía y se burlaba.

Un sábado por la noche, ya para terminarse el año escolar, andábamos de vagos, mis amigos y yo, cerca de la botica. De repente, Benito y Rodolfo llegaron en un coche nuevo.

—¡Súbanse!—gritó Rodolfo—. Vamos a pasearnos.

Todos nos subimos al coche y nos sentamos en el asiento de atrás. Rodolfo nos pasó un cigarrillo de mariguana a cada uno y Benito le metió al acelerador hasta el fondo. Podíamos oler el hule quemado de las llantas al batir el asfalto. ¡Era realmente emocionante! Cuando Mario descubrió una botella entera de trago en el asiento de atrás, todos gritamos de gusto.

Benito era el único experto en manejar automóviles y se ofreció a enseñarnos. A cada uno le tocó su turno en el volante y con cada lección, el coche recibía más abolladuras y raspones.

Yo jamás había estado detrás de un volante, y cuando me tocó mi turno, Rodolfo naturalmente se opuso:

—Freddie es muy alocado. ¡Va a *regarla*[ñ], *bato*[o]!

—Sigo yo—protesté—. A ti ya te tocó tu turno.

Rodolfo se dio por vencido y yo le metí al acelerador. El coche dio un viraje peligroso, mientras yo trataba de maniobrar para no darle a la acera; pero rebotamos en ella. Todos nos reímos con gran alboroto, porque al tratar de volver a la calle, le di un rozón a un coche que estaba estacionado.

—¡Nos viene siguiendo la policía!—me gritó Mario al oído.

—¡Les dije que Freddie la iba a *regar*!—repeló Rodolfo.

Al instante, Benito se hizo cargo de la situación.

—Hazte para allá, Freddie—ordenó calmadamente—. Yo manejo.

En pocos minutos teníamos cuatro patrullas persiguiéndonos, en medio del estruendo de sus sirenas. Pero con Benito al volante, sabíamos que no había manera de que nos alcanzaran.

La media hora que duró la emoción de la persecución, nos la pasamos saltando, riéndonos a carcajadas y haciendo alboroto, mientras que Benito nos llevaba por callejuelas y callejones hasta atravesar el cementerio. Detrás de nosotros, el torbellino de las luces rojas y los aullidos de las sirenas; exactamente igual que en las películas. Yo sentía una oleada de dicha y jamás pensé en el peligro hasta que Benito dio un frenazo y gritó:

[ñ] *regarla*: hacer todo mal; echar todo a perder
[o] *bato*: muchacho

—¡Es un callejón sin salida! ¡Que cada quien se rasque con sus propias uñas!

Abrimos las puertas del coche y comenzamos a correr en distintas direcciones antes de que llegaran los policías. De ahí en adelante, el robo de automóviles se convirtió en parte de nuestra vida diaria. Los manejábamos hasta que se les acababa la gasolina y luego les arrancábamos todo lo que se pudiera vender y los abandonábamos. El dinero nos daba independencia; podíamos comprar toda la *grifa* y toda la cerveza que queríamos; y hasta nos quedaba cambio para la sinfonola y el cine. Nuestras películas favoritas eran las de bandidos y mis héroes eran Al Capone, Lucky Luciano, Arnold Rothstein y John Dillinger.

Al poco tiempo, algunas personas comenzaron a quejarse con la policía para que pusieran el alto a la pandilla de *chicanos* que andaba destruyendo la comunidad. Los policías empezaron a patrullar el *barrio* y a rondar la botica con más frecuencia. Cada vez que veían a la pandilla reunida, nos llevaban a la correccional de menores; pero, como nunca nos pescaron con las manos en la masa, no podían probar sus sospechas.

Un día que Mario y yo íbamos caminando por la calle Austin, nos detuvo un policía llamado Cleto Sánchez.

—Hemos recibido toda clase de quejas—nos advirtió—. Esta es mi ronda, así que más les vale que no vea a ninguno de ustedes vagando por estas esquinas, bola de *pelados*[p]. ¿Me entendieron?

Inmediatamente se corrió la voz entre toda la pandilla de que la botica era tabú hasta que se

---

[p] *pelado*: persona mal educada, grosera

apaciguara un poco el asunto. Comenzamos a juntarnos en una cantina llamada *"Hot Corner"*[q] donde jugábamos billar y podíamos poner la sinfonola. Sin embargo, a los pocos días, Mario y yo nos aburrimos de estar allí y decidimos ir a ver cómo andaban las cosas por la botica.

El lugar estaba muerto. Nos paramos en la esquina, para decidir qué íbamos a hacer. De repente se nos acercó una patrulla. Era el oficial Cleto Sánchez.

Se bajó del vehículo y exclamó:

—¿No les dije, bola de vagos, que no los quería ver por aquí?—abrió la puerta trasera de su automóvil y nos agarró a los dos—. ¡Métanse, bola de *pelados*!—vociferó—. Les voy a dar una lección de obediencia.

Nos llevó hasta el desierto campo de fútbol de la secundaria "Emerson". A jalones nos bajó del coche y lentamente se quitó el pesado cinturón de cuero.

—*¡Cálmala, ése!*[r]—traté de razonar con él—. *¡Cálmala!*

—*Speak English!*[s]—nos gritó el oficial Sánchez y empezó a darnos de cinturonazos—. Cuando hablen conmigo, háblenme en inglés.

Le hervía la cara del coraje y se lanzó contra nosotros completamente cegado. Nos protegimos la cara de su ira mientras que los cuerazos caían sin medida sobre nuestros cuerpos. Mario y yo tratamos de correr, pero Sánchez era más rápido. No dejó de pegarnos hasta que tuvimos los brazos y la espalda morados de los golpes.

—¡Y ahora, lárguense!—tenía los ojos enrojecidos de odio—. ¡Más vale que no los vuelva a ver!

---

[q] *"Hot Corner"*: La Esquina Caliente
[r] *¡Cálmala, ése!*: ¡Espera Hombre!
[s] *Speak English!*: ¡Habla inglés!

Se me querían salir las lágrimas de la rabia, pero apreté los párpados para contenerlas. Me di media vuelta y me retiré para esconder mis sentimientos. El oficial Sánchez no iba a tener la satisfacción de verme llorar.

—¡Hablen inglés! ¡Hablen inglés!—imité su tono de voz.

Su acento español era tan fuerte como el mío.

—*Se sale*[t]—maldijo Mario.

—¡Mira ésto!—me quite la camisa. Me habían salido cardenales en los brazos y en los hombros y Mario estaba igual.

No nos atrevimos a volver a la botica sino que mejor nos seguimos juntando en el patio que estaba detrás de la cantina *"Hot Corner"*. Allí nos entreteníamos con nuestros viajes de mariguana y cerveza mientras que adentro, bramaba la sinfonola. Bubba era el encargado del negocio y Sally era una pobre vieja alcohólica que siempre andaba por allí tratando de gorrearle unos tragos a la clientela.

Una noche, habíamos estado viendo unas revistas pornográficas, cuando vimos que Bubba echaba a Sally por la puerta trasera.

—¡Vete para tu casa, vieja ramera!—le gritó—. Ya no molestes a mis clientes.

Sally pasó tambaleándose por donde estábamos. Pancho tiró la revista pornográfica y sugirió:

—¡Vamos a violar a la vieja!

El callejón estaba muy oscuro y entre los diez la atacamos. Benito la tumbó al suelo y le puso el pie en la boca para que no pudiera gritar. Mario y yo le agarramos los brazos mientras la pateábamos y la escupíamos.

---

[t] *Se sale*: está fuera de orden

Zafándose del pie de Benito imploró:

—¡Por favor, muchachos, suéltenme! ¡Por favor!

—¡Cállate, *gringa*!—le gritó uno de los muchachos pateándola por un lado—. ¡Cállate!

Estábamos haciendo tanto ruido que los perros del *barrio* comenzaron a ladrar y se empezaron a encender las luces de varias casas. Salimos corriendo dejando a Sally sollozando, tirada en la tierra, con su ropa toda desgarrada.

Al día siguiente fuimos a la escuela sin ninguna preocupación, seguros de que Sally había estado tan borracha que no podría identificar a ninguno de nosotros.

*   *   *

Aquel otoño entré al noveno grado. La señorita Martínez era nuestra maestra de español. Era muy joven y muy hermosa y todos los muchachos nos enamoramos de ella. Era la única clase para la cual nos acicalábamos para vernos bien, y donde nuestro comportamiento era de lo mejor.

—A los que tienen nombres ingleses—anunció la señorita Martínez—, se les dará un nombre español, como parte de nuestro proyecto. Se les va a pasar lista con ese nombre y lo van a usar para hablarse entre ustedes: Janie, Juanita; Rodney, Rodrigo; William, Guillermo...

Cada vez que la señorita Martínez nombraba a uno de los alumnos, varios de los méxico-americanos de la clase se reían.

—¿Qué hay de gracioso en todo esto?—preguntó—. Estos nombres españoles son hermosos. ¿Por qué se burlan?

Algunos, rápidamente, se avergonzaron; otros se refugiaron en una expresión en blanco. Nadie contestó.

—¿*Por qué se burlan?*—me pregunté a mí mismo.

Gradualmente, al pasar las semanas, comencé a notar que la mayoría de mis compañeros méxico-americanos se avergonzaban de su idioma, y realmente pensaban que su nombre español era algo inferior. Su burla proyectaba un desprecio a su propia herencia cultural. Ahora comprendía porque algunos méxico-americanos trataban de pronunciar su propio apellido español con acento inglés. Como Jorge Rodríguez, que decía "Ra-DRI-guez-z". Me enfurecí al ver que, simplemente por ser aceptados, mi gente trataba de convertirse en una copia al carbón del anglo-americano.

—¡De ninguna manera!—me propuse—. ¡Eso no es para mí! No más bocadillo de mortadela. No me importa quién se burle.

Tres semanas antes de graduarme de "Emerson", Mario y yo íbamos de la escuela rumbo a la casa, cuando un chamaco del *barrio* corrió a nosotros con malas noticias:

—¡La *ganga*[u] de "La Loma" los está esperando en el callejón!

Ya se veía venir una riña entre nuestra pandilla de la calle Austin y "La *Ganga* de La Loma". Estábamos preparados. Rápidamente se corrió la voz entre los miembros de nuestra pandilla, y los muchachos de "La Loma" que habían intentado agarrarnos a Mario y a mí solos, fueron tomados por sorpresa.

El pequeño callejón resonó con gritos cuando nos tiramos al ataque. Algunos de nosotros llevábamos armas: navajas, palos y cadenas. Algunos pelearon a mano limpia. El callejón estaba lleno de piedras y de

---

[u] *ganga*: de "gang", pandilla

grava y al poco rato comenzamos a tirar piedras como balas, unos contra otros. Lo único que se escuchaba eran los gemidos de dolor cuando le pegaban a alguien. Los espectadores estaban aterrorizados al ver la contienda.

Perseguimos a la "*Ganga* de la Loma" hasta ahuyentarlos, pero cuando llegué a casa cojeando, con la camisa rota y la sangre escurriéndome por la nariz, mamá decidió que era hora de tomar medidas.

Un mes más tarde me dio la noticia:

—Alfredo, tu papá dio un enganche para una casa.

—¿Una casa? ¿En dónde?—yo no tenía ningún deseo de dejar el *barrio* del Este.

—En el lado Poniente—respondió muy calmadamente.

Se me cayó el alma a los pies. Pero me gustara o no, cuando terminaron las clases por el verano, nos cambiamos a nuestra nueva casa, al otro lado de la ciudad.

Ingresé en la escuela preparatoria llamada "Tech"; sin embargo, antes de que terminara el semestre de otoño, me salí y encontré un trabajo de noche en un restaurante.

Pronto pude comprar un automóvil y en mis días de descanso, regresaba a visitar a mis amigos del *barrio*. Pero la distancia cambió mucho las cosas: ya no estaba involucrado en las actividades diarias de la *ganga*. Me sentía aislado; completamente solo.

Una tarde, estaba en el centro esperando que llegara Mario. Sentía la garganta seca y áspera de tanto fumar mariguana, así que, entré al restaurante más cercano. Había una mesera muy linda detrás del mostrador y le pregunté su nombre.

—Alicia—sonrió—. ¿En qué le puedo servir?

Yo siempre había sido muy tímido con las muchachas. Es más, nunca había intentado salir con una porque estaba seguro de que ninguna se iba a fijar en mí. Pero Alicia era diferente; parecía que yo le gustaba. Platicamos fácilmente, y cuando le ofrecí llevarla a casa después del trabajo, aceptó.

Comenzamos a salir con frecuencia. Alicia era mi primera novia y yo ya no me sentía solo. Tres meses después, cuando ella tenía 17 años y yo 18, nos casamos.

Con gusto acepté mi responsabilidad como marido procurando ser buen proveedor para mi casa. Mis padres eran dueños de un terreno vacío en la calle San Eduardo y nos permitieron construir allí una pequeña casa de una sola recámara para nosotros. Yo pensé que la había hecho; tenía una esposa, estaba comprando mi propia casa y tenía un trabajo bien pagado. Era hora de sentar cabeza.

Mis amigos me visitaban de vez en cuando para bromear conmigo de que yo era el único casado de la *ganga*. Yo me reía con ellos, pero estaba muy orgulloso de mí mismo.

Cuando nació mi hijo Francisco, compré una caja de puros y me fui derechito a mi *barrio* a celebrar con la *ganga*. Dos años después hice lo mismo cuando nació Ricardo, mi segundo hijo. Pero había una diferencia: Benito, Mario y el resto de la *ganga* habían comenzado a usar heroína.

—¿Por qué harían una locura como ésa?—pensé—. ¡La heroína es la droga que todos juramos nunca usar!

No volví al *barrio* tan seguido como antes; además, yo ya tenía mis propios problemas. Alicia y yo estábamos luchando para que nuestra relación no fracasara. Ya nos habíamos separado y reconciliado varias veces. Ahora, en nuestro quinto año de casados, las cosas iban de mal en peor.

Para evitar el conflicto en la casa, me quedaba en las cantinas o en los salones de baile hasta la madrugada. Después de que nació nuestra hija Sandra, Alicia se dio por vencida:

—Alfredo, voy a poner una demanda de divorcio. Esta vez me voy para siempre.

Capítulo 3

El Mono en mi Espalda[a]

Jesús les dijo:
—Les aseguro que todos los
que pecan
son esclavos del pecado.

Juan 8:34
Dios Habla Hoy

La pérdida de mis hijos y mi fracaso como esposo, me aplastaron. Tenía solamente veintitrés años de edad y me sentía más solo que nunca; mis sueños y expectativas por los suelos. Para tratar de olvidar, combiné las bebidas fuertes con la mariguana y las pastillas; todos los días.

En el restaurante donde trabajaba, trabajaba también Ninfa, una mesera a la que le gustaba mucho la diversión. Cuando la inicié en la mariguana, accedió sin vacilar. Ya bajo la influencia, fácilmente la persuadí a que pasara la noche conmigo, después de haberle explicado mis condiciones:

—Quiero que sepas en lo que te vas a meter. Yo aún estoy lastimado por el fracaso de mi primer matrimonio y no tengo intenciones de volverme a casar. Así que, si tú tienes alguna esperanza de eso, olvídalo.

---

[a] **El Mono en mi Espalda**: Cualquier drogadicción que debe ser alimentada, especialmente la adicción a la heroína

Podremos jugar "a la casita", tener una "casita", pero de "matrimonio" ¡olvídate! ¿Entendido?

—Yo estoy de acuerdo, Freddie—aprobó—. Estaré satisfecha sólo con estar a tu lado.

Sus ojos cafés parecían sinceros. Parándose de puntitas me puso sus manos sobre las mejillas y añadió:

—Yo jamás te dejaré; al menos que tú me lo pidas.

No le creí pero a los pocos días comenzamos a vivir juntos. La atención que me daba Ninfa me ayudó a sobrellevar mi soledad; pero nada podía quitarme el dolor que sentía por la separación y la pérdida de mis hijos.

Con la esperanza de obtener la custodia legal de ellos, consulté un abogado. El me explicó que la ley favorece a la madre en estos casos, y salí de su despacho con el corazón hecho pedazos.

Sentado en mi coche abrí los ojos a la realidad: jamás recuperaría a mis hijos. Perdería para siempre los años de su infancia. Prorrumpí en sollozos mientras manejaba el coche por las calles de San Antonio sin rumbo fijo.

Estaba ya oscureciendo cuando tuve el valor de llegar al hotel donde Ninfa me esperaba. Juntos nos fuimos hacia la calle Austin y nos detuvimos en la casa de Benito.

—¿Vamos a tomar unas cervezas a la cantina de Fernández?—lo invité.

—Vamos—. Benito estaba listo.

No fue sino hasta como la tercera cerveza que noté que Benito estaba enfermo. Tenía una mirada de desesperación; se movía constantemente con ansiedad y le escurría la nariz. Finalmente caí en la cuenta de que Benito necesitaba desesperadamente una dosis de heroína.

Al verlo sufrir así, y sufriendo por mi propia pena, saqué mi cartera y le di unos cuantos dólares.

—Toma, Benito, anda y compra tu *cura*[b], pero después de que te *arregles*[e], me das una probadita.

Me arrebató el dinero de la mano y tartamudeó por el dolor que lo consumía:

—Tú m-m-ma-ma-ne-ja-ja.

Después de comprar la heroína, Benito nos dirigió a una casucha solitaria. Se inyectó él primero y luego me amarró el brazo con su cinturón. Ninfa había permanecido callada pero cuando vio que yo estaba en serio, me suplicó:

—¡Por favor, Alfredo, no lo hagas!

—¡Cállate la boca y déjame en paz! ¡Yo sé lo que estoy haciendo!— la empujé bruscamente.

Me dolió la aguja e inmediatamente me sentí como adormecido, y después estaba vomitando.

—No te preocupes, Freddie—murmuró Benito—, yo también vomité la primera vez.

Al principio me inyectaba una vez al mes; luego, una vez por semana, y a los seis meses, me inyectaba dos veces al día.

Una tarde, estábamos en la cantina *"Hot Corner"*[d] Ninfa y yo, tomándonos unas cervezas. Mario y Benito acababan de comprar droga y estaban en el baño inyectándose.

—Ojalá que me dejen algo—le dije a Ninfa—. Quizás me ayude a quitarme la gripe que traigo.

Todo el cuerpo me había estado doliendo y me sentía muy débil. Me lloraban los ojos y tenía escalofríos.

---

[b] *cura*: dosis de heroína

[c] *arregles*: inyectes la heroína

[d] *"Hot Corner"*: La Esquina Caliente

En ese instante, Benito se asomó por la puerta y gritó:

—Ese, Freddie, ¿quieres una probadita?

—¡Seguro!

Me quité el cinturón y me lo amarré en el brazo mientras caminaba hacia donde estaban. Tan pronto como comenzó a correr la heroína por mis venas, me desaparecieron todos los síntomas de la gripe. No quería admitirlo, pero ya estaba realmente *prendido*[e].

La expresión de preocupación en el rostro de Ninfa me llegó al alma. Le acaricié el estómago y traté de sonreír:

—Oyeme, tienes seis meses de embarazo, así que, nada de andarse preocupando. Lo único que debes hacer es cuidarte. Yo voy a pararle a todo esto; créemelo. Cuando tú tengas al niño yo ya voy a estar bien.

Al irnos del *"Hot Corner"*, decidimos pasar la noche en casa de mis padres. En el momento en que entré a la sala, mamá me desafió meneándome su dedo en la cara:

—Dime la verdad, Alfredo. ¿Andas usando la aguja?

—Mamá—fingí sorpresa—. ¡Usted sabe que yo nunca tocaría ese mugrero!

—No me andes echando mentiras, Alfredo. Tu hermana Santos dice que te vio completamente drogado—. Estaba al borde de las lágrimas, pero se contuvo y añadió:

—¿Cuándo le vas a parar?

Antes de que yo pudiera contestarle se volteó a Ninfa:

—Yo sé que algo está mal. Alfredo siempre andaba

---

[e] *prendido*: adicto a la heroína; enviciado

muy arreglado y limpio, y tenía muy buen apetito. Ahora anda todo mugroso y sin rasurarse; anda con la misma ropa por varios días y no come otra cosa que dulces.

Ninfa no dijo nada, pero tanto ella como yo, sabíamos que no podíamos engañar a mamá. Ella me conocía demasiado bien y su dolor hizo que me sintiera incómodo.

—Esta será la última vez que usted me vea así, mamá—le prometí.

Pero conforme pasaban las semanas, las cosas fueron de mal en peor. Para mantener el vicio, me juntaba con Benito y Mario a robar casas y *carruchas*[f]. Ninfa había aprendido a vigilar mientras hacíamos un robo y manejaba el coche con el cual nos escapábamos.

Una tarde, mientras paseábamos buscando qué robar entre los coches estacionados, Mario gritó:

—¡Mira! ¡Ese coche está lleno de máquinas de escribir!

—¡Vamos a *pegarle*[g]!— y los apresuré—: ¡Vénganse!

Estábamos terminando de cargar la mercancía cuando oí que un hombre gritaba:

—¡Deténganlos! ¡Párenlos!

Mientras nos alejábamos a toda velocidad, pude ver por el espejo retrovisor que el hombre anotaba el número de la placa. Vendimos pronto el equipo, compramos nuestra heroína, nos inyectamos y fuimos a dejar a Mario y a Benito al *barrio*[h]. Ninfa y yo

---

[f] *carruchas*: automóviles

[g] *pegarle*: robarlo

[h] *barrio*: Parte o distrito de una población grande. En San Antonio, parte de la ciudad donde predominan méxico-americanos

dejamos el coche en un lugar desierto y nos fuimos al cine. Después de la película fuimos directamente al departamento de policía y reportamos nuestro coche "robado".

—No cambies tu historia—aconsejé a Ninfa—. No importa lo que te digan o te pregunten. Estábamos en el cine y eso es todo.

Al día siguiente, el sargento Ramírez dejó dicho en casa de mi mamá que me quería ver en la estación de policía. Cuando me presenté, me dijo claramente:

—Freddie, tú y yo sabemos que tú robaste ese equipo y luego reportaste el coche como robado.

—¡Estás loco!—le repliqué—. ¡Estoy en contra de los robos!

—Tengo testigos que te vieron—volvió al ataque—. ¿Estás dispuesto a ponerte en fila para ver si te identifican?

—Seguro que sí—me jacté—. No tengo nada que ocultar; yo estaba en el cine con mi novia.

¡Qué fila! ¡Yo era el único presente! Afortunadamente, con la cambiada de ropa y con la afeitada que me había dado, el "testigo" no pudo identificarme.

—¿Ya me puedo ir, sargento?—le sonreí a mis anchas.

—¡Vago sinvergüenza!—estaba disgustado—. ¿Cómo puedes pararte ahí y mentir con tanta desfachatez? Te voy a dar suficiente cuerda para que tú solito te ahorques. Ya regresarás.

* * *

Intenté seriamente dejar mi vicio pero ya había perdido el control de mi fuerza de voluntad. Tenía tiempo que había perdido mi trabajo. Cuando podíamos darnos el "lujo", Ninfa y yo dormíamos en un hotel barato, pero casi siempre pasábamos la noche en coches abandonados, en casas vacías, a la interperie, en parques o en algún terreno baldío. Desarmábamos cajas de cartón y las poníamos en el suelo y nos abrigábamos con periódicos. El verano ya estaba cerca así que, ya no padeceríamos por el frío ni por las lluvias heladas del invierno. Pero me preocupaba la salud de Ninfa y nuestro bebé. Le faltaba poco para el parto, sin embargo Ninfa jamás se quejó.

Cuando comenzó a tener las contracciones, con gusto la interné en la clínica pública que daba servicio las 24 horas. Al salir, mi tía se la llevó a su casa. Pasaron dos semanas antes de que fuera a conocer a mi nuevo hijo.

—Le puse Jesús, como tú querías—anunció Ninfa orgullosamente.

Yo andaba alocado con la droga, como siempre, y ella se decidió a poner las cartas sobre la mesa.

—He estado pensando muy seriamente, Freddie. ¿Qué es lo que le espera al bebé con unos padres como nosotros? Un drogadicto y una mariguana que además de eso toma pastillas...

—Yo también he estado pensando—traté de evadir su mirada—. No me gusta la idea de dejarlo, pero quizá tu madre adoptiva nos lo cuide mientras nos enderezamos.

No se volvió a mencionar el asunto, pero al mes de haber nacido Jesús, lo dejamos en la casa de la madre adoptiva de Ninfa, prometiéndonos a nosotros mismos que volveríamos por él tan pronto como dejara el vicio de una vez por todas.

*   *   *

Perdí la cuenta de las veces que dejé el vicio

físicamente y lo volví a coger. Mi cuerpo podía soportar la tortura física que me producía el negarme a la droga, pero mi mente seguía obsesionada con el deseo de tenerla.

—No tengo paz—traté de explicarle a Ninfa—. En lo único que pienso las veinticuatro horas del día es el gotero y la aguja. ¡Tengo el deseo de cambiar, pero no tengo fuerza de voluntad!

Nuestras vidas se convirtieron en un torbellino de dependencia de la droga; una esclavitud. Cuando Ninfa se embarazó otra vez, no quisimos la responsabilidad de otra criatura. Pensamos que la única alternativa era el aborto.

La partera tenía una larga lista de espera así que, no pudo tratar a Ninfa hasta que estaba cerca del quinto mes. Ninfa pasó la noche en casa de la partera y la tarde siguiente fui a recogerla. Al llegar frente a la casa toqué el claxon y salió Ninfa con un bulto pequeño, envuelto en periódicos y trapos viejos.

—Era un varoncito—la voz de Ninfa no tenía ningún matiz. Comenzó a desenvolver el paquete en el asiento del automóvil—. ¿Quieres verlo?

Sentí un escalofrío por la espalda y grité:

—¡NO! ¡NO! ¡Pónlo en el suelo! ¡Escóndelo!

Ninfa lloraba en silencio junto a mí y yo traté de no pensar en el contenido del bulto que estaba a sus pies.

Manejé de arriba abajo sin rumbo fijo, tratando de pensar:

—*¿Qué es lo que vamos a hacer? Ninguno de nosotros estaba preparado para esto.*

Ninfa sollozaba y trató de contarme lo que había sucedido en la casa de la partera; de la impresión que se había llevado al ver el pequeño cadáver perfectamente formado, tiradito en el piso desnudo del baño.

—Cuando estaba en mi vientre —gimió—, el bebé no tenía ninguna realidad para mí. Ahora que lo he visto y que lo cargué entre mis brazos, sé que era un ser humano. ¡Era mi hijo!

Se apretó el estómago como si le doliera.

—Yo era su madre—murmuró—. El dependía de mí para que yo le diera vida... y en vez de eso lo a-s-e-s-i...

—¡Cállate!—no la dejé terminar la frase, pero la palabra ya estaba clavada en mi mente: asesino. ¡ASESINO! *Era un asesino*. Era nuestro propio hijo, envuelto en ese montón de trapos. Me invadió un temor helado y estaba bañado en sudor. Los nudillos de mis dedos estaban blancos de apretar el volante—. *¿Y si nos agarran con el bebé muerto?*

Estábamos cerca de la casa de mi mamá y me bajé para recoger una pala y un pico. Nadie me vio y me dirigí a un terreno baldío. Era muy noche, y cubierto por la oscuridad, hice un hoyo lo suficientemente hondo para que ningún perro lo fuera a escarbar.

Ninfa observaba en silencio, apretando el bulto entre sus brazos.

—Pon el bebito en el hoyo—le ordené. Rápidamente cubrí la fosa y esparcí unas cuantas piedras sobre la superficie de la sepultura. Cuando nos retiramos de allí, sentí un gran alivio.

Las semanas transcurrieron y Ninfa se volvió muy callada; por lo regular se encontraba embriagada por el alcohol, las pastillas o la mariguana. Me preocupaba su estado.

—Ninfa, bájale un poco, parece como si te quisieras destruir a ti misma.

—No lo puedo soportar, Freddie—rompió en sollozos—. Desde que enterramos a nuestro hijo, parece que estoy perdiendo la razón. Jamás le había tenido miedo a la oscuridad y ahora no puedo dormir a menos que esté una luz prendida. Despierto en la noche y oigo ruidos extraños. Tengo miedo, Freddie. ¿Qué me está pasando? ¿Qué hago?

La tomé entre mis brazos.

—No hay nada qué temer, Ninfa—traté de consolarla—. Nadie nos vio; nadie nos va a aprehender. Ya no pienses en ello.

Lloró en mis hombros desconsoladamente. Ahora comprendía por qué se mantenía embriagada. ¡Estaba tratando de borrar de su memoria lo que habíamos hecho con nuestra propia carne y nuestra propia sangre! Nuestro secreto estaba a salvo... pero, *¿podríamos jamás olvidarnos de ello?*

Para mantener nuestro vicio, que ya había aumentado, comencé a robar en las tiendas. Me iba primero por la calle Guadalupe, en la sección Poniente de la ciudad, y tomaba órdenes de la mercancía que querían las cantineras. La ropa interior de mujer era más fácil de robar y revender y pronto me hice de una clientela regular.

Un día, andaba recogiendo mis "pedidos" en una tienda de departamentos, seleccionando cuidadosamente las tallas adecuadas y los colores deseados para luego echármelos al abrigo. No me había fijado en el policía que me estaba observando hasta que lo vi correr hacia mí. Aventé mi "botín" en diferentes direcciones para que no me pescara con las prendas robadas y comencé a correr por todos los pasillos. El policía fue más rápido que yo y en un segundo me tenía esposado.

—*Pásame quebrada*[i]—le imploré—. Ando *prendido*.

—Olvídate de "oportunidades", vicioso maldito. ¡Yo tengo que cumplir con mi deber!

Me empujó fuera del almacén y me metió a la patrulla. Cuando llegamos a la cárcel de la ciudad yo ya me estaba poniendo *malía*[j].

—Déjame hacer una llamada—le pedí—. No la voy a hacer si tengo que *quebrar*[k] aquí.

—¡Más tarde, *tecato*[l]!—contestó bruscamente—. ¡Más tarde!

Uno de los guardias me encaminó a mi celda. Podía escuchar a los borrachitos cantando corridos. Algunos de los presos estaban tosiendo tanto que parecía como si estuviéramos en un hospital de tuberculosos. Me empezaron a dar escalofríos; comencé a temblar descontroladamente y a sentir bochornos.

Un drogadicto que ahora era borrachín les gritó a los que cantaban:

—¡Cállense! ¿Qué no ven que este pobre está rompiendo el vicio sin medicamento?

—Muchas gracias—débilmente le agradecí mientras las puertas de la cárcel se cerraban detrás de mí.   .

Finalmente me permitieron llamar a Ninfa por teléfono. A la mañana siguiente, cuando casi a rastras llegué a la corte municipal, ella y mamá estaban presentes.

—Según las leyes de Texas, un robo de menos de $50.00 dólares es considerado como delito menor—escuché que me advertía el juez—. Sin embargo, más te vale que te enderece.

---

[i] *pásame quebrada*: dame una oportunidad

[j] *malía*: enfermo por falta de droga

[k] *quebrar:* romper el vicio

[l] *tecato*: vicioso, drogadicto

Me soltó después de un largo sermón. Ninfa pagó la multa y fui puesto en libertad. En menos de una hora ya tenía nuevamente la aguja en mis venas.

—!No puedo seguir así!—gemí—. ¡Lo aborrezco! ¡Estoy viviendo como animal! ¡Tengo que parar!

Había oído hablar de un hospital que se especializaba en tratamientos para el drogadicto, en Fort Worth, Texas. Se llamaba "Hospital de la Salud Pública de los Estados Unidos". Yo deseaba ir, pero Ninfa estaba embarazada de nuevo y esta vez no quería saber nada de abortos.

—No te preocupes por nosotros—me aseguró—. Estaremos bien; anda y alíviate.

Al llegar la primavera, ingresé voluntariamente al hospital, por un período de seis meses. Participé en toda terapia que ofrecían y me determiné a no salir de allí sin estar completamente curado. Nuestra hijita Josefina, llamada como mi mamá, nació mientras estaba yo en el hospital. Ya tenía dos meses de nacida cuando me dijeron que había terminado con éxito mi tratamiento psiquiátrico y me dieron de alta. Esa misma noche llegué a San Antonio y fui directamente al traficante de drogas antes de llegar a casa.

—¡Andas bien *curado*[m]!—me reprochó Ninfa al momento de entrar a la casa.

—¿Cómo quieres que me componga si no me tienes confianza?—traté de disimular.

No dijo más, pero a los pocos días, el patrón familiar de la drogadicción me delató. Mientras Ninfa trabajaba, yo me quedaba en casa, según esto, a "cuidar a Josefina". Pero en vez de eso, me llevaba a la bebita conmigo mientras me iba a robar o a comprar mi droga.

---

[m] *curado*: drogado

Una mañana húmeda y de mucho calor, después de haber comprado mi heroína, me dirigí a la gasolinera más cercana. Metí a Josefina conmigo al baño de hombres y la acosté en el suelo de cemento mojado, mientras me preparaba mi *cura*. Estaba muy tenso y adolorido. Me escurría el sudor hasta las ojos, haciéndolos arder y se me nubló la vista. Nada salió bien. Josefina empezó a llorar. Alguien comenzó a tocar la puerta del baño queriendo entrar. Me pinché el brazo una y otra vez sin poder encontrar la vena. Me sentía con ganas de gritarle a mi bebita de cuatro meses, pero en ese mismo instante le *pegué*[n] a una vena. Instantáneamente se relajó cada músculo de mi cuerpo.

Me sentí muy bien, pero cuando me vi en el espejo, me vi las mejillas hundidas y sin afeitar. No me había bañado en varios días y el olor que despedía mi cuerpo me causó náusea. Me agaché para tomar a mi niña y note, por primera vez, su "lecho" de papeles de baño sucios. El fétido hedor me entró por la nariz, pero la niña, alzando sus bracitos hacia mí, me sonrió con sus grandes ojos llenos de lágrimas.

—¿Como vine a caer tan bajo?—murmuré apretándola fuertemente—. Yo nunca quise esto para ti, mi bebita. El tierno momento pronto pasó al olvido. En el *barrio*, con mis amigos, perdí la noción del tiempo. Ellos se turnaban para cargar a Josefina y le daban de comer de frascos de comida preparada para bebé con una cucharita. Cuando el efecto de mi *cura* pasó, me entró pánico y me llevé a la niña a casa de mi mamá.

—Es Alfredo—. Papá, me abrió la puerta.

---

[n] *pegué*: encontré

—¡Mira cómo estás de flaco!—mamá se acercó y me tocó el brazo—. Ven a la cocina conmigo para hacerte algo de comer.

—No quiero comida, mamá—le contesté—. Me estoy empezando a poner enfermo.

—Bueno, pues entonces déjame siquiera cambiarle el pañal a la niña. Mira cómo está de empapada y de sucia. Se llevó a la niña y yo me dejé caer en el sofá. Papá dejó su cerveza y se levantó de su silla para darme un dólar.

—Es todo lo que traigo, hijo—me dijo—. Pero es tuyo, si lo quieres.

Mientras mamá prendía los seguros en el pañal de Josefina, me dijo:

—Alfredo, si te doy algo de dinero, ¿me prometes buscar un lugar que pueda curarte?—sus ojos mostraban una gran preocupación.

—Usted sabe, mamá, que lo he intentado. Los mejores médicos en esta rama no me han podido ayudar. ¿No dicen que "una vez adicto, siempre adicto"? Olvídalo, mamá.

Pero mamá no se dio por vencida:

—Vete para Los Angeles y quédate con tus hermanas Estela y María—me suplicó—. A lo mejor te hace bien irte fuera de San Antonio.

Cuando Ninfa escuchó los planes de mamá, aprobó inmediatamente. Finalmente, ambas me persuadieron a que me fuera.

Esa misma semana tomé el autobús rumbo a California. Me *curé*[ñ] antes de salir de San Antonio. Nos detuvimos en El Paso el tiempo suficiente para que yo pudiera comprar en la botica más cercana, un

---

[ñ] *curé*: inyecté heroína

jarabe para la tos que contuviera codeína. Me estaba poniendo enfermo por la falta de la heroína y la codeína calmaría un poco mis dolores.

En la central de autobuses de Los Angeles me estaba esperando mi hermana Estela. Tan pronto como llegamos a su casa, salí a la calle en busca de la droga. Para entonces ya estaba muy mal. En el centro de Los Angeles tuve la suerte de encontrarme a Raider, un drogadicto de San Antonio—. ¿Quién trae la *carga*°?—le pregunté. El andaba "en las nubes" y murmuró:—Aquí andan dos paisanos. Infórmate, Freddie, y si consigues "algo", puedes usar mi aguja.

A la hora, con la heroína corriendo por mis venas, regresé a casa de mi hermana y empecé a desempacar. Una vez ya instalado, llamé a Ninfa para que se reuniera conmigo lo más pronto posible. En menos de un mes llegó a California con nuestra bebita Josefina y encontró trabajo como mesera. Rentamos una pequeña casa de tres cuartos a una cuadra de la casa de mi hermana. Ella nos cuidaba a la niña mientras yo trataba de permanecer en un trabajo, pero pronto estaba de vuelta en las calles. Ninfa tuvo que averiguárselas para todo el mantenimiento de la casa ella sola.

Una tarde llegué a casa bien drogado y Ninfa se encaró conmigo:

—Tú sabes bien, Freddie, que hasta tu propia familia dice que soy una tonta por apoyarte. Yo pensé que mi amor iba a ser suficiente para cambiarte; ahora sé que no es así. No has cambiado ni una pizca y me estoy cansando.

—¡Estamos bien!—refunfuñé—. Ya deja de estar repelando y déjame en paz.

° *carga*: droga

Se le enrojecieron los ojos por la ira.

—¿Sabes lo que comimos hoy Josefina y yo? Cereal... sin leche, sin azúcar... nada más que cereal a secas! Mira a tu alrededor, Freddie; pasan días sin que podamos comprar una sola barra de pan o una bolsa de frijoles. ¿Y te atreves a decirme que estamos bien? ¡Estás loco!

Trató de contener las lágrimas:

—¿Te has visto a ti mismo últimamente? Cualquier rasguño o golpe que te das se te hace bolsas de pus. Te estás pudriendo vivo y no pones nada de tu parte para mejorar. ¿Sabes qué, Freddie? ¡No estamos bien!

Me senté a la orilla de nuestro pequeño catre y le advertí:—Ya para de repelar, Ninfa; ya estoy aburrido de todo este asunto. ¡Nada más cállate!

De repente comenzó a temblar todo mi cuerpo, hasta los dientes, incontrolablemente y me acurruqué en el catre debajo de la colcha.

—Ven, acuéstate aquí a mi lado—le rogué—. Me estoy helando.

Tocándome la frente, Ninfa exclamó:—¡Estás ardiendo en fiebre, Freddie! Se te están volteando los ojos; te podrían dar convulsiones. ¡Necesitas un médico!

—Olvídalo—temblé de frío—. Nada más trata de mantenerme calientito. Mañana amaneceré bien.

Habíamos leído en el periódico que varios adictos habían muerto porque se estaba vendiendo una heroína que había sido accidentalmente mezclada con veneno para ratas, y ahora Ninfa temía que yo fuera a ser una de las víctimas. A mí realmente no me importaba si me moría. Mi vida se había convertido en nada, y aquéllos a quienes amaba, siempre los estaba lastimando. Para un drogadicto como yo, había solamente tres maneras de escapar: la penitenciaría, el manicomio o el depósito de cadáveres de la ciudad.

—*Si éste es veneno y me mata*—pensé—, *me hará un favor.*

Capítulo 4

Nacer de Nuevo

Jesús le dijo:
—Te aseguro que el que no nace de nuevo, no puede ver el reino de Dios.

> Juan 3:3
> Dios Habla Hoy

Jesús le contestó:
—Te aseguro que el que no nace de agua y del Espíritu, no puede entrar en el reino de Dios.

> Juan 3:5
> Dios Habla hoy

Alfonso y yo habíamos sido pacientes del hospital para drogadictos en Fort Worth, Texas. Ahora, después de un año y medio, lo reconocí al verlo parado en la esquina de la calle Tercera y la calle Broadway. Estaba bien vestido, por lo tanto asumí que estaba vendiendo drogas.

—Freddie—me saludó al verme caminar hacia donde él estaba—. ¿Qué andas haciendo en Los Angeles?

—Vine a tratar de *romper*[a] el vicio, pero tú sabes cómo es esto—le contesté—. ¿Y tú? ¿Traes *carga*[b]? ¡Necesito *curarme de volada*[c]!

---

[a] *romper:* interrumpir la continuidad del uso de la droga
[b] *carga*: droga
[c] *curarme de volada*: inyectarme rápidamente

Extendió los brazos y poniéndolos sobre mis hombros, me hizo a un lado—. Tengo algo mucho mejor, Freddie; tengo a Jesucristo.

—Sí, sí, hombre—lo ignoré—, ¿pero has visto a alguien que traiga *carga*? ¡Ando *malía*[d]!

Una gran sonrisa iluminó el rostro de Alfonso.

—Ya no soy drogadicto, Freddie. No he usado drogas por más de un año. Jesucristo cambió mi vida.

—*Yo nunca he visto un drogadicto regenerado en todos los años que he andado por las calles*—, me dije a mí mismo—. *¿A quién quiere engañar este bato*[e]*?*

Me dio una tarjeta y me miró a los ojos. Los suyos estaban claros, completamente limpios de cualquier droga.

—Guárdala en tu cartera, Freddie. Si alguna vez necesitas ayuda, me puedes encontrar en este Centro llamado "Desafío Juvenil".

Lo miré fijamente sin saber si estaba jugando o si me estaba hablando en serio.

—Mira, Freddie, si tú vienes al Centro, te van a dar cambio de sábanas y ropa limpia todos los días. Mientras estés *rompiendo* el vicio, te van a dar masajes para mitigar el dolor, y después de que le ganes al vicio, te van a servir tu desayuno en la cama.

—Pásame unas cuantas tarjetas de ésas—traté de bromear con él—. La pintas que parece que estuvieras hablando de un paraíso. Deja ver si algunos de los *batos*...

No terminé la plática pues al ver pasar un traficante de drogas, le arrebaté las tarjetas a Alfonso y corrí tras la *conexión*[f].

---

[d] *malía*: enfermo por falta de droga

[e] *bato*: muchacho

[f] *conexión*: sibio o persona que vende drogas

Después de haberme inyectado regresé a casa. Sentado muy cómodamente en mi catre, saqué la tarjeta y comencé a leerla: "La sociedad dice, 'una vez adicto, siempre adicto', pero Jesucristo dice, 'Yo soy el camino, y la verdad'[1] …'y la verdad los hará libres'[2]".

Volteando la tarjeta resaltaron estas palabras: "Si estás perdido y necesitas ayuda, llama al Centro "Desafío Juvenil".

Cuántas veces ya había intentado dejar las drogas y había fracasado. Hacía mucho tiempo que había renunciado a los programas y ahora, no tenía ninguna ilusión de que el plan de Alfonso fuera a ser algo diferente. Pero me había ofrecido un lugar donde podía *quebrar*[g].

Ninfa estaba en la cocina así que, levanté la voz para que me escuchara:

—Hoy me encontré un camarada.

—¿Y qué?—contestó con desdén acercándose hasta donde estaba acostado.

—"¿Y qué?"—repetí imitando su grosería—. El era un drogadicto antes, pero ya no se *tira*[h]. Dice que Jesucristo cambió su vida y me dio esta tarjeta. Hasta me invitó a que fuera a ver el lugar.

Tomó la tarjeta y me la tiró a la cara:

—¡Vete a donde te dé la gana, con tal de que te largues de aquí!—me gritó—. ¿Sabes qué, Freddie? A ti ya no te importa que tu propia hija te vea con la aguja en las venas. Has perdido el respeto hasta contigo

---

[1] Juan 14:6, Biblia de Las Américas

[2] Juan 8:32, Dios Habla Hoy

[g] *quebrar*: romper el vicio

[h] *tira*: se inyecta

mismo. Hazme un favor, Freddie, llama a tu amigo y vete con él.

Sin estar seguro aún de lo que quería hacer, caminé hacia un teléfono público e hice mi llamada. Por lo menos me podría quedar en el "Desafío Juvenil" por unas cuantas semanas y quitarme a Ninfa de encima.

—¿Alfonso? Habla Freddie. ¿Por qué no vienes a recogerme?

—En seguida voy para allá. ¿Dónde vives?

Después de darle la dirección lo esperé afuera de la casa mientras que Ninfa observaba desde la entrada. Como a la media hora llegó Alfonso acompañado de Amós, uno de los consejeros del programa.

—¿Estás listo?—me preguntó Alfonso poniéndome una mano en el hombro.

Asentí.

—Entonces, agarra tus cosas.

Al ver que no me movía, Amós pensó que había cambiado de idea. Trató de convencerme:

—Jesucristo realmente puede cambiarte, Freddie. Quiere usar tu vida.

Dirigí la mirada a mi mugrosa camiseta y a los pantalones sucios que traía puestos. Eran todas mis pertenencias. Pesaba solamente 58 kilogramos y tenía una cintura de 75 centímetros.

—*Si este Cristo realmente quiere usarme*—me dije a mí mismo—, *su ejército debe de estar en muy malas condiciones.*

Amós abrió su Biblia y leyó en voz alta:

—"Pues Dios amó tanto al mundo, que dio a su Hijo único, para que todo aquel que cree en él no muera, sino que tenga vida eterna"[3]. Se refiere a ti,

---

[3] Juan 3:16, Dios Habla Hoy

Freddie. Que Dios te amó tanto que envió a su hijo Jesucristo para que pagara el precio por tus pecados. Murió en la cruz para que tú no tengas que morir como un *tecato*[i].

Moví la cabeza.

—Nada de esto tiene sentido, *bato*.

Amós sonrió:—Más tarde lo tendrá, Freddie. Más tarde lo tendrá. Coge tus cosas y vámonos.

—Esto es todo lo que tengo, *bato*—traté de disimular mi vergüenza—. Traigo puesto todo mi guardarropa.

Ninfa había estado escuchando atentamente. Yo sabía que estaba pensando que esta era una más de mis muchas artimañas. Cuando me subí a la camioneta, dio la media vuelta, y sin decir palabra, se metió a la casa azotando la puerta tras ella.

Alfonso iba manejando y Amós se volteó dirigiéndose a mí:

—¿Tienes un cigarro, Freddie?

—Seguro—y saqué orgullosamente mi cajetilla nueva de cigarros.

Con una sonrisa, Amós aventó el paquete por la ventana.

—¡*Ese*![j] ¡Estaba entero el paquete! ¿Qué tienes *bato*? ¿Qué traen ustedes?

—No se permite fumar en el lugar a donde vamos—replicó calmadamente.

¡*Ah jijo*![k]—pensé—. *Ahora sí que me metí en una buena.*

Cuando llegamos al Centro, me sorprendí al ver que era una casa de dos pisos en vez de una institución. En el pasillo, Alfonso me detuvo.

---

[i] *tecato*: vicioso, drogadicto
[j] ¡*Ese*!: ¡oye, tú!
[k] ¡*Ah jijo*!: ¡Caramba!

—Vamos a tener que esculcarte antes de que seas admitido, Freddie.

—Andale—accedí. Ya nada de lo que me hicieran me podría sorprender.

Alfonso me ayudó a llenar mis papeles de admisión y me asignaron una de las ocho camas que estaban en el dormitorio del desván. Ahí me recibió un méxico-americano que me saludó de mano y me preguntó en inglés:

—¿Deseas tomar una taza de café? Yo me llamo RalphRa-DRI-guez-z—pronunció su apellido con acento inglés.

—¡Dirás Rodríguez!—lo corregí—. ¿Te avergüenzas de tu nombre español?

Sonriéndose un poco, preguntó nuevamente en inglés:

—¿Cómo te llamas?

—¡Alfredo!—contesté gruñonamente—. Alfredo Francisco García.

—Se dice Freddie en inglés, ¿verdad?—continuó hablando en inglés, y sin esperar respuesta agregó:— Déjame preguntarte, Freddie, ¿conoces a Jesucristo como tu Salvador?

—¡Seguro que sé de Cristo!—le contesté en español.

—¿Qué?—Ralph me miró sorprendido—. ¿Puedes hablarme en inglés? No entiendo español.

—¿Qué? ¿No eres méxico-americano?

—Sí—sonrió—pero no hablo español.

—¿Sabes qué, *bato*?—le contesté ya enojado—, eres una vergüenza para la raza morena. No tienes nada que decirme que yo quiera escuchar. *¡Descuéntate!*[1] ¡Vamos! Ustedes, *batos*, son puras malas noticias.

---

[1] *¡Descuéntate!*: ¡Desaparécete!

Me fui a mi cama mortificado, pensando que me iba a poner muy enfermo durante la noche, pero para sorpresa mía, me quedé bien dormido inmediatamente.

Me levanté a la mañana siguiente con los síntomas comunes de cuando *rompe* uno el vicio. Pero no fueron tan fuertes como los había esperado. Al lado de mi cama estaba un *bato* llamado Eduardo, leyendo su Biblia.

—¿Qué estás haciendo aquí?—murmuré.

—He estado orando para que Cristo te ayude a vencer tu vicio. Si necesitas un masaje, un café, una oración o cualquier otra cosa, con todo gusto te ayudaré, Hermano.

—¿Hermano?—me burlé—. Yo no soy tu hermano ni tampoco necesito tu ayuda. Cuando *rompo* el vicio, no necesito a nadie cerca de mí. *¡Descuéntate!*

Me sonrió amablemente, pero no se fue. Los seis días siguientes estuve muy enfermo, pero Eduardo nunca me dejó solo. Aun cuando con coraje le tiré la charola de la comida al piso, él la recogió simplemente, sin quejarse. Siguió viniendo con su Biblia para ver cómo seguía y me leía. Cuando yo no lo dejaba acercarse a mí, se hincaba al otro lado de la cama y oraba por mí.

¿Que tienen estos *batos*?—rezongué—. No hablan de otra cosa que de Jesucristo por la mañana, a mediodía y por la noche.

Se requería que asistiera a la capilla para los servicios matutinos tan pronto como me sintiera mejor. El primer día, entré a la capilla durante el tiempo de la oración y vi una escena que jamás olvidaré. El cuarto estaba atestado; Sonny Arguinzoni, el supervisor del Centro, y cerca de cincuenta hombres y mujeres, gritaban y clamaban alabando al Señor Jesucristo en voz alta. Algunos estaban de rodillas y otros estaban de pie, pero todos tenían levantadas las manos hacia el cielo.

Simplemente por cumplir con el programa, iba a hincarme calladamente, cuando una tosca y poderosa mano me forzó a caer de rodillas. Pertenecía nada menos que al loco de Carlos, un drogadicto con quien yo había andado *tirándome*[m] drogas unos meses atrás.

—¡Freddie!—rugió—.Voy a orar por ti.

Puso su mano derecha sobre mi frente y me detuvo el cuello con su mano izquierda; sacudió bruscamente mi cabeza y oró en español a grito tendido:

—Señor, dale con un *2x4*[n]. Haz entender a Freddie, Señor Jesús. Dale con un mazo en la cabeza para que entienda.

Yo no sabía qué esperar. Con la cabeza aún inclinada, temerosamente miré a ambos lados. *¿Acaso Carlos tenía realmente una persona lista para pegarme?* Pero para mi tranquilidad no pasó nada.

Finalmente Carlos me soltó. Salí como de rayo de la capilla, decidido a dejar el programa. En el pasillo me detuvo Luis, uno de los consejeros:

—¿Qué pasa, Freddie?

—Yo no puedo entrar en la onda de todos estos "Aleluyas"—le expliqué—. Mejor me voy.

—¿A dónde?—me retó—. ¿Tienes un programa mejor en mente?

Me detuve al instante. Odiaba admitirlo, aun a mí mismo, pero era cierto: ya se me habían acabado todos

---

[m] *tirándome*: inyectándome

[n] *2x4*: tabla de madera con medida inglesa que equivale a 5.080 cm por 10. 160 cm

los programas. Bien sabía que no podía hacerla ni una sola hora en las calles sin las drogas... Regresé a la capilla silenciosamente.

Sonny acababa de presentar a un hombre negro llamado Andraé Crouch, que se sentó al piano. Jamás había escuchado música como la suya.

—Este *bato*, de veras que sabe tocar buena música— le dije en voz baja al muchacho que estaba sentado a mi lado.

—Eso no es nada—me contestó—, él escribe sus propias canciones.

Esa noche les pregunté a los muchachos en el desván:

—Esos *batos* que están en la capilla, ¿están en serio? ¿Y Sonny? ¿No está vacilando?

—Yo no sé nada—Beto se encogió de hombros—. Yo soy nuevo aquí.

—Yo pienso que es un engaño religioso—declaré—. Que todo esto es mentira y ustedes, *batos*, se lo están creyendo. A mí se me hace que ese Sonny es *puro número*[ñ]. Yo no creo que haya sido drogadicto. Se ve muy limpio el *bato*.

Luis escuchó mi conversación.

—Eso no es cierto, Freddie. Sonny era un drogadicto de las calles de Nueva York, pero fue salvo bajo el ministerio de David Wilkerson. Sonny era un drogadicto de los peores. Si no me lo crees, siéntate en la primera fila la próxima vez que Sonny predique. El se entusiasma y siempre extiende los brazos. Fíjate y verás todas las cicatrices que le dejaron las agujas.

La mañana siguiente fui el primero que llegó a la capilla. El servicio se me hizo interminable hasta que

---

[ñ] *puro número*: falso, hipócrita

Sonny se levantó a predicar. No me importaba lo que tuviera que decir. Yo tenía que ver si tenía las cicatrices de la aguja.

Cuando Sonny extendió los brazos, me hice para adelante y miré fijamente. Allí estaban; las inconfundibles cicatrices que dejaba el uso continuo de la aguja. *¿Sería posible que Luis no me estuviera engañando?*

Las tres semanas siguientes escuché atentamente los testimonios de vidas cambiadas, pero yo no me sentía diferente.

—*Tal vez soy tan malo que Dios no puede hacer nada conmigo*—. El pensamiento me hizo estremecer—. *A lo mejor ya es hora de que vuelva a las calles.*

Frecuentemente me dormía durante los servicios en la capilla porque no entendía mucho de lo que hablaban. Pero una mañana, cuando Sonny comenzó a predicar, parecía como si me estuviera hablando específicamente a mí:

—¡No me digas que no puedes cambiar! ¡Que Dios no puede hacer nada por ti! En lo más profundo de su corazón, todo drogadicto sabe que quiere cambiar; pero el orgullo del *tecato* le impide pedirle a Cristo que le ayude. El orgullo hace que se ponga una máscara que refleje que no necesita a nadie.

Cada vez me sentía más incómodo.

—*Se me hace que algún chismoso fue y le contó mi vida a Sonny—pensé—, y ahora él me está sacando todos mis trapitos a relucir.*

Yo quería salirme de allí pero la capilla estaba atestada y yo estaba sentado en las bancas de en medio.

En ese mismo instante, Sonny extendió los brazos

y yo no pude retirar la vista de las cicatrices. Me clavó los ojos y añadió:

—Los drogadictos como nosotros no deberíamos tener ningún orgullo. El diablo nos ha dejado sucios y apestosos. No tenemos nada de qué estar orgullosos.

—No importa cuántas drogas hayas usado o cuántos pecados hayas cometido. Solamente ven aquí adelante y pídele al Señor Jesucristo que te perdone por todos tus pecados, y tú no volverás a ser adicto jamás. Cristo quiere cambiar tu vida, ahorita mismo. Acércate a El.

En el fondo quería creer, pero no me cabía en la cabeza que una persona que había muerto hacia más de dos mil años me pudiera ayudar. Luchando conmigo mismo pensé:

—*He probado los mejores hospitales, los mejores psiquiatras, los mejores psicólogos, los mejores grupos de terapia y hasta curanderas. ¿Cómo puede Jesucristo a quien no puedo ni ver, ni sentir, ni tocar, cambiarme?*

La voz de Sonny seguía resonando en mis oídos:

—Cristo Jesús dice: "Mira, yo estoy llamando a la puerta; si alguien oye mi voz y abre la puerta, entraré en su casa y cenaremos juntos"[4].

Concluyó:

—Ahorita mismo, Jesucristo está tocando a la puerta de tu corazón. Tú eres el único que puede abrir la puerta y dejarlo entrar.

Andraé estaba al piano, y cuando comenzó a tocar los primeros acordes del himno "Cuando El su Mano me Extendió", todos se levantaron a cantar. La letra de la canción me conmovió en lo más profundo. *"Yo estaba al borde de la desesperación cuando El vino a mí y me enseñó que podía ser libre..."*

---

[4] Apocalipsis 3:20, Dios Habla Hoy

Me comenzó a latir el corazón agitadamente. Quería ir hacia el altar, pero yo había sido el más hablador, el que había dirigido a todos los rebeldes para que se burlaran de cualquier muchacho que fuera al altar.

—*¿Qué van a pensar de mí si yo paso ahora?*— estaba sosteniendo una lucha dentro de mí—. *¿Y si voy al altar y Jesucristo no me cambia? Voy a hacer el ridículo y los batos se van a burlar de mí.*

Esperé a que alguien diera el primer paso; luego yo podría seguirlo. Pero la inquietud dentro de mi alma me empujó y no pude esperar más. Me tropecé al llegar al pasillo, y con cada paso que iba dando hacia el altar, sentí que mi orgullo se iba desgarrando. Ya no me importó quién se burlara; algo más fuerte que mi orgullo me lanzó hasta el altar.

Ya estando ahí, mis rodillas cedieron. Quería hablarle a Dios; decirle lo adolorido que estaba y pedirle que me perdonara, pero no sabía ni cómo orar.

Se me llenaron los ojos de lágrimas y un grito de desesperación surgió de lo más profundo de mi corazón:

—*¡Pásame quebrada°, Señor, pásame quebrada!* Ya estoy cansado de usar drogas; estoy cansado de la vida que he llevado. Perdóname por todos mis pecados y *pásame quebrada*, Señor Jesucristo.

Sentí que un calorcito se esparcía dentro de mi ser. No sé cómo, pero supe que era el amor de Dios abrazando mi corazón, rompiendo la coraza que lo cubría y dejando salir todo el dolor, toda la amargura, todo el odio que yo había guardado por tantos años; limpiándome totalmente por dentro, liberándome para siempre.

Mis lágrimas fluyeron hasta que me sentí bien y

° *¡Pásame quebrada!*: ¡Dame una oportunidad!

limpio por dentro. Incluso mi mente estaba libre de los pensamientos anteriores de la aguja y el gotero. ¡El deseo de las drogas había desaparecido!

Cuando por fin me levanté del altar de oración, supe que había una diferencia en mí. ¡En lo más profundo de mi ser había una certeza: Cristo me había perdonado! Jesucristo me había cambiado.

Caminé fuera de la capilla con deseos de abrazar a todo el mundo. Justo en ese instante, un ex-drogadicto anglo-americano a quien apodaban "Larry el Arco Iris", pasó cerca de mí. Sin pensar, lo tomé por el brazo y le di un efusivo "abrazo mexicano". Al instante caí en la cuenta:

—¡*Acabo de abrazar a un anglo-americano!*— ¡la hostilidad y el odio que tenía hacia el anglo-americano habían desaparecido!

Tratando de descifrar lo que me estaba sucediendo, caminé hacia el patio de atrás. Había un rosal junto a la cerca. Me detuve y miré las flores como si nunca antes las hubiera visto. Suavemente toqué uno de los pétalos aterciopelados y me incliné para oler su fragancia. *¿Cómo es que nunca había notado tanta belleza? ¿Qué me está sucediendo? Me siento como si nunca hubiera vivido. ¡Como si acabara de nacer!*

En ese mismo instante, se abrió la puerta de atrás y salió Ralph Rodríguez. Me sonrió y le grité:

—¿Puedo hablar contigo?

—Seguro, Freddie.

—Perdóname, Ralph—fue lo primero que salió de mi boca—. Quiero que me perdones por la forma en que te traté cuando llegué al programa.

—¡Gloria a Dios! Seguro que te perdono.

—Gracias, *bato*—le di un abrazo cariñoso.

El levantó las manos hacia el cielo y gritó:

—¡Alaba a Jesucristo, Freddie, alábalo!

Me sorprendía mi propia conducta. En los veintiocho años de mi vida, jamás le había pedido a otra persona que me perdonara. Pero realmente se sentía bonito hacerlo.

De regreso a la sala vi a una muchacha méxico-americana de la mano de su novio anglo-americano. Era una escena que siempre me había indignado, pero ahora, la indignación había desaparecido.

—¡Híjole!ᵖ—me maravilló el poder de Dios—. Jesucristo no solamente me ha quitado el deseo de las drogas, sino que me ha quitado el odio que había amargado mi vida todos estos años.

Aún asombrado me dije:

—¡Jesucristo de verdad me ha liberado!

No podía esperar para compartir las buenas noticias con Ninfa.

ᵖ *¡Híjole!*: ¡Caramba!

Capítulo 5

Una Vida Nueva

Feliz el hombre que no sigue
el consejo de los malvados,
ni va por el camino de los pecadores,
ni hace causa común con los que se burlan
de Dios,
sino que pone su amor en la ley del Señor
y en ella medita noche y día.
Ese hombre es como un árbol plantado
a la orilla de un río,
que da su fruto a su tiempo
y jamás se marchitan sus hojas.
¡Todo lo que hace, le sale bien!

Salmo 1:1-3
Dios Habla Hoy

Me pareció como que el teléfono sonó una eternidad antes de escuchar la voz familiar de Ninfa:

—¿Bueno?

¡Ya le gané a mi vicio, Ninfa!— le anuncié con entusiasmo—. ¡Ya no soy un *tecato*[a]! ¡Jesucristo me cambió! ¡El deseo de las drogas ha desaparecido! ¡Ya le gané!

—Qué bueno—su voz era indiferente y fría. Obviamente no me creía.

—No me has entendido, Ninfa—le insistí—. Jesucristo de veras me ha cambiado. ¿Te acuerdas cuando te decía que no tenía paz porque jamás me

---

[a] *tecato*: vicioso, drogadicto

podía quitar de la mente la imagen del gotero y de la aguja?

—Sí, me acuerdo.

—¡Pos ya no lo tengo! Ahora tengo paz en mi mente; la paz que he estado buscando toda mi vida.

Ninfa aún no estaba impresionada:

—¿Y cuándo regresas a casa?

Con firmeza le aclaré:

—No puedo hacer eso porque no estamos casados.

—¿No estamos qué?—, y ya medio impacientada refunfuñó—: ¿Qué tienes, Freddie? Tenemos dos *chavalos*[b], ¿recuerdas? ¿Cómo que no puedes venir a casa?

—Es que voy a seguir al Señor Jesucristo—traté de explicarle—. No quiero perderlo. Si tú también quieres servir y vivir para Jesucristo, entonces me caso contigo. Pero si tú no quieres nada con Jesucristo, Ninfa, entonces hasta aquí llegamos. Mejor te dejo libre.

Ninfa guardó silencio por un largo rato y luego, calmadamente contestó:

—Déjame pensarlo; llámame mañana y te tendré una respuesta para entonces.

Al momento que colgó me puse a platicar con Cristo:

—Señor Jesucristo, Usted sabe que jamás quise volverme a casar, pero yo amo a Ninfa y no quiero perderla. Su Palabra dice que yo no me debo casar con una persona incrédula[1], así que, si Usted quiere que Ninfa sea mi esposa, alcáncela, Señor, sálvela y cámbiela como Usted hizo con mi vida, antes de que nos casemos. Amén.

---

[b] *chavalos*: hijos
[1] 2 Corintios 6:14, Biblia de Las Américas

Llamé ansiosamente al día siguiente para saber su decisión.

—Le he estado dando vueltas toda la noche— confesó—, pero todo se reduce a una cosa muy sencilla y es que te amo, Freddie, y yo haré lo que tú pienses que sea mejor para nosotros.

—¡Qué bueno!—me puse muy contento—. Te recojo en un par de horas para ir a sacar los análisis de sangre.

Tan pronto como mis compañeros del Centro se enteraron de que me iba a casar, Wayne me presto su traje; otro me dio una corbata e incluso otro más me dio unos cuantos dólares.

—¡Híjole!c—exclamó Ninfa cuando me vio entrar en la casa—. Es la primera vez que te veo de traje, Freddie. ¡Te ves muy bien!

Trató de abrazarme pero le detuve las manos firmemente y la besé en la mejilla:

—No, Ninfa—le supliqué—, no podemos hacer nada hasta que estemos casados.

Apartándose de mí estalló furiosa:

—¿A quién quieres *maderiar*d? ¡Estás hablando conmigo; con Ninfa!

Tratando de evitar un conflicto, sonreí y la tomé de la mano:

—Vente o nos van a cerrar el consultorio del doctor. En el camino te explico.

Más tarde llamé al Centro:

—¿Sonny? Habla Freddie. Ya sacamos los exámenes de sangre y nuestra licencia de matrimonio. ¿Que hacemos ahora?

---

c *¡Híjole!*: ¡Caramba!

d *maderiar*: engañar

—Espérense ahí—me aconsejó—, voy a mandar a Bob para que los recoja.

Cuando llegamos al Centro, Sonny me llamó a su oficina:

—Todos los muchachos se están arreglando para ir a la iglesia del Pastor Benjamín Crouch. Yo ya hablé con él y dice que con mucho gusto te casará después del servicio eclesiástico.

Una semana antes, el Pastor Crouch ya me había dado consejos sobre el vivir juntos sin estar casados. Me sentía agradecido de que él estuviera dispuesto a casarnos ahora. Parecía como que de alguna manera todo iba saliendo bien.

El servicio de alabanza ya había empezado cuando llegamos a la iglesia.

—¡Gloria a Dios!—me saludó el Pastor Crouch en la puerta. Poniéndome la mano sobre el hombro me hizo a un lado y me informó—: Después de que se termine el servicio vamos a ir a mi casa y ahí te casaré en una ceremonia sencilla. ¿Está bien?

—Seguro que sí—estuve de acuerdo—. Pero hay una cosa, Pastor, usted sabe que la mujer con quien tengo pensado casarme no es cristiana.

El asintió con la cabeza.

—Yo no le he dicho esto a Ninfa—me aclaré la garganta—, pero si ella no entrega su vida a Nuestro Señor Jesucristo esta noche, no me caso.

Mirándome con ojos compasivos me abrazó:

—Te comprendo, hijo. Verdaderamente lo entiendo.

Un ujier ya había acomodado a Ninfa en una de las bancas. Silenciosamente me senté junto a ella. Ninfa gozaba con la música. En silencio pedí que Jesucristo le llegara al corazón.

Durante la predicación Ninfa estuvo muy atenta, y

cuando llegó la invitación para aceptar a Cristo, se hizo para adelante en su asiento.

—¡Estás cansada de la vida que llevas?—preguntó el predicador—. ¿Es tu carga muy pesada, tan pesada que te doblega? Ven a Jesucristo; El llevará tu carga, El te dará el gozo y la paz que has estado anhelando.

Clavándome su codo en el costado, Ninfa murmuró con urgencia:

—Freddie, una voz dentro de mí dice que vaya al altar, pero hay otra voz que me dice "no vayas porque la gente se va a dar cuenta de que eres pecadora". ¿Qué hago?

—El deseo de ir al frente viene del Espíritu Santo y la voz que te dice que no vayas es Satanás—le expliqué—. Sólo tú puedes escoger la voz a la cual obedecer.

Sin dudarlo un momento Ninfa se levantó de un salto de su asiento. Con el rostro empapado en lágrimas, se abrió camino entre la gente hasta llegar al altar. El corazón me latía apresuradamente.

—Algo está sucediendo, Señor Jesucristo— susurré—. ¡Gracias, Cristo!

Ninfa se paró frente al altar; la sacudían los sollozos. Entonces pedí:

—Señor, ayúdala y sálvala.

En ese instante, una mujer negra se acercó a Ninfa, y poniéndole su brazo en los hombros, le dijo algo al oído. Ninfa levantó los brazos al cielo y las vi orando juntas. La mujer negra regresó a su asiento y Ninfa permaneció en el altar orando. Sus manos estaban aún levantadas y su rostro resplandecía. Se me llenó el corazón de gratitud porque estaba seguro de que ella ya había hecho las paces con Dios.

El Pastor Crouch vio lo que había sucedido. Le pidió

a Ninfa que se quedara ahí, en el altar, y me hizo una seña de que pasara al frente y me parara junto a ella.

—¿Tas bien?—le pregunté—. ¿Le pediste a Cristo que te perdonara todos tus pecados?

Asintiendo Ninfa contestó:

—Sí, Freddie. Esta negrita me dijo que levantara las manos al cielo y que le pidiera perdón a Cristo por todos mis pecados. ¡Y lo hice, Freddie!—sonrió con los ojos llenos de lágrimas—. ¡Lo hice!

El Pastor Crouch nos abrazó y se volvió hacia la congregación:

—Déjenme decirles, mis santos hermanos; este hombre y esta mujer han vivido en pecado por *ciiiiinco* años. Yo tenía pensado casarlos en privado en mi casa, después del servicio. Pero esta noche... esta noche hemos visto al Señor Jesucristo moverse en sus vidas. Por lo tanto, vamos a tener la boda aquí en la casa de Dios en vez de mi casa.

—¡Amén!—aprobó la congregación en forma unánime—. ¡Amén!

—Pero yo no me puedo casar en la iglesia—confesó Ninfa espantada—. Ya tengo dos *chavalos*.

Sonriendo, el Pastor Crouch declaró:

—La Palabra de Dios dice: "...la sangre de Jesús su Hijo nos limpia de todo pecado... Si confesamos nuestros pecados, El es fiel y justo para perdonarnos los pecados y para limpiarnos de toda maldad"[2]. ¿Oíste eso?—sonrió nuevamente mirando a Ninfa—. ¡Jesús dice "de TODA maldad!"

—¡Es muy cierto!—respondieron varios de la congregación—. Eso es lo que dice la Biblia.

En unos cuantos segundos, los hombres y mujeres

---

[2] 1 Juan 1:7,9 Biblia de Las Américas

ex-drogadictos del Centro se organizaron. Sacaron a la novia de la iglesia y a mí me dijeron que tomara mi lugar a un lado del altar. Al instante, Gary, uno de los consejeros del Centro, se ofreció voluntariamente a ser mi padrino.

Andraé Crouch comenzó a tocar la Marcha Nupcial y lentamente empezaron a entrar los padrinos y las madrinas que Dios había elegido. Todos eran ex-drogadictos, transformados por el poder de Nuestro Señor Jesucristo. Lado a lado desfilaban: anglo-americanos, *chicanos*[e] y negros; todos tomando su lugar a cada lado de las bancas. Cuando Andraé tocó los primeros acordes anunciando la entrada de la novia, Ninfa apareció, escoltada por Jack, uno de los anglo-americanos del Centro. El era quien iba a entregar a la novia oficialmente. Ninfa lucía un traje rojo; eran su única falda y chaqueta de manga corta que hacían juego. Sus zapatos eran de segunda; los habíamos comprado esa misma tarde. Su cabello largo y oscuro había sido peinado hacia atrás, prendido ligeramente hacia arriba. Tenía los ojos hinchados por el llanto y su rostro tenía aún las marcas por donde le habían corrido las lágrimas. Pero jamás había visto yo una belleza semejante, ni tan radiante. Jesucristo en su vida hizo toda la diferencia.

Calladamente tomó su lugar a mi lado en el altar y quedamos los dos cara a cara con el Pastor Crouch.

—Freddie—me miró fijamente—: ¿Aceptas a Ninfa Q. Briseño como tu legítima esposa y prometes serle fiel en lo próspero y en lo adverso, en la riqueza y en la pobreza, en la salud y en la enfermedad, y amarla

---

[e] chicanos: persona de ascendencia mexicana nacida en Estados Unidos

y respetarla todos los días de tu vida, hasta que la muerte los separe?

Mi corazón reventaba de gratitud y de asombro. Dios había contestado mi oración.

—Sí, acepto—contesté firmemente.

El Pastor Crouch, dirigiéndose a Ninfa, preguntó:

—¿Aceptas a Alfredo Francisco García, como tu legítimo esposo y prometes serle fiel en lo próspero y en lo adverso, en la riqueza y en la pobreza, en la salud y en la enfermedad, y amarlo y respetarlo y obedecerlo, todos los días de tu vida, hasta que la muerte los separe?

La mano de Ninfa apretó la mía y solemnemente contestó:

—Sí, acepto.

Radiantes de felicidad, nos fuimos a casa. Nuestra luna de miel fue una nueva experiencia. Cristo en nuestras vidas nos dio un amor más profundo de uno hacia el otro.

Días después, cuando mi "permiso" para la luna de miel se había terminado, regresé al Centro. Tenía unas cuantas semanas de estar allí cuando, una noche en particular, no me podía dormir por el ruido que llegaba del segundo piso, donde estaban orando en voz alta.

—¡No tienen que gritar!—repelé mientras bajaba por la escalera del desván—. Unicamente les voy a pedir que bajen la voz un poco. *¡Se salen estos batos!*[f]

Abrí la puerta del dormitorio y toda mi irritación desapareció ya que sentí la presencia del Señor Jesucristo. Ahí, entre las filas de camas, estaban

---

[f] *¡Se salen estos batos!*: ¡Estos muchachos están fuera de orden!

"Larry el Arco Iris", Roberto, Juan, David y Beto; saltando y brincando, con las manos hacia el cielo, alabando a Dios. Sin perder un segundo más me uní a ellos.

No había pasado mucho rato cuando Sonny y algunos muchachos de los otros dormitorios llegaron. En cuestión de minutos éramos más de veinticinco; nuestras voces se elevaban en exhuberantes alabanzas: en inglés, en español y en algunas lenguas desconocidas. En medio de todo esto, me encontré, yo también, hablando una lengua extraña que salía de lo más profundo de mi ser, embriagándome con un gozo nuevo.

Después de dos horas, cuando las cosas se calmaron un poco, Sonny nos llamó aparte a todos los que estábamos recién conversos y nos explicó lo que había sucedido:

—Jesucristo los acaba de bautizar en el Espíritu Santo[3],—sonrió y continuó—: la Biblia dice: "...pero cuando el Espíritu Santo venga sobre ustedes, recibirán poder..."[4], poder para ser un mejor testigo de Jesucristo. De modo que no sean negligentes con la oración en lenguas; háganlo todos los días.

De vuelta en mi litera del desván, medité en todo lo que acababa de suceder. Ahora podía entender lo que Jesucristo quiso decir cuando dijo: "...El que cree en mí, como ha dicho la Escritura: 'De lo más profundo de su ser brotarán ríos de agua viva.' Pero El decía esto del Espíritu, que los que habían creído en El habían de recibir..."[5].

*　　　*　　　*

[3] Juan 1:33, Biblia de Las Américas
[4] Hechos 1:8, Dios Habla Hoy
[5] Juan 7:38-39, Biblia de Las Américas

En menos de dos semanas se desocupó el puesto de cocinero en el Centro y se le ofreció a Ninfa con un salario mínimo, más un cuarto donde vivir. Agradecidos, aceptamos y nos cambiamos a nuestro pequeño y privado cuartito en el segundo piso.

Ninfa se familiarizó rápidamente con la cocina. Cada día que pasaba, ella y yo nos acercábamos más a Dios y uno al otro. Podíamos asistir a la capilla y a los estudios bíblicos. Teníamos la oportunidad de orar juntos y compartir todo lo que estábamos aprendiendo de la Palabra de Dios. Antes de entrar en el conocimiento de Cristo, todas mis lecturas se limitaban a libros de cuentos. Pero cuando Cristo se hizo algo real en mi vida, me nació un hambre por conocer su Palabra más y más.

Con las primeras ganancias que recibimos del Centro, compré un comentario de la Biblia, un diccionario y una libreta para mis notas. Me pasaba muchas horas estudiando sobre un cajón que usaba como escritorio.

Una mañana temprano, mientras Ninfa preparaba el desayuno, entré a la cocina y le anuncié:

—Siento que el Señor Jesucristo me quiere en el Instituto Bíblico.

Su rostro se iluminó y me dio un fuerte abrazo.

—¡Dale, Freddie! Todo el tiempo que andabas en drogas te apoyé ¡con mucha más razón ahora que es por Cristo! Estoy contigo en todo.

Aún estábamos platicando cuando por el micrófono que estaba conectado en la cocina, se escuchó una vocecita que comenzó a cantar: "Tierno Jesús, tierno Jesús, qué maravilloso eres Tú…"

—¡Escucha Freddie!—exclamó Ninfa con alegría—. Es nuestra Josefina.

Corrimos a la capilla y encontramos a nuestra hija de tres años de edad cantando en el micrófono, mientras que Andraé la acompañaba con el piano. No pude evitar pensar en las muchas ocasiones que la había llevado conmigo mientras robaba. El recuerdo me hizo estremecer.

—Señor Jesucristo—casi en sollozos oré—, gracias que mi familia ya no sufre porque ya no soy un *tecato*. Gracias, Cristo Jesús.

Con su mano en la mía, Ninfa suavemente repitió:

—Muchas gracias, Señor Jesucristo.

La drogadicción nunca me dio oportunidad de otra cosa que drogas. La realidad de lo que había perdido como padre me sacudió con nueva fuerza, al ver a mi hija cantándole a Jesucristo.

—Recuerdo haber leído en la Biblia—le dije a Ninfa—, que "los hijos son un regalo de Dios..."[6]. Un regalo es algo que se debe apreciar y gozar. Ahora que somos cristianos, no quiero perderme ese gozo jamás.

Los ojos de Ninfa se llenaron de lágrimas y la acerqué a mí.

—Vamos a pedirle al Señor Jesucristo que nos enseñe a ser buenos padres y que, si es su voluntad, nos dé otro hijo. Quiero disfrutarlo desde el primer día; ya hasta pensé llamarlo Pablo.

—Es bonito nombre—. Dándome un breve abrazo se apresuró a recoger a Josefina. Me uní a ellas, y abrazándolas, oramos.

*   *   *

Más y más anhelaba yo servir a Dios con toda mi vida, y unos meses después, fui a hablar con Sonny y su esposa Julia.

---

[6] Salmo 127:3, La Biblia al Día

—He estado pensando en ir a estudiar al Instituto Bíblico Latinoamericano en La Puente, California— les dije.

—¡Gloria a Dios!—Se alegró Julia—. Te ayudaremos a llenar la solicitud, ¿verdad, Sonny?

—¡Seguro!—sonrió—. ¿Sabes, Freddie? Ando buscando un edificio para una iglesia, porque Dios me ha llamado a ser pastor. Me gustaría que me ayudaras en el Templo Victoria tan pronto como encuentre el lugar.

—¡Cálmala, Sonny!—tartamudeé—. Yo solamente quiero ir a la escuela porque tengo hambre de aprender más de Cristo. Yo no sé si tengo el llamado para el ministerio.

—Freddie—declaró Sonny—, yo sé que tú has sido llamado al ministerio porque he visto cómo te buscan los adictos y los criminales. Quieren tu opinión, tu consejo, tu compañerismo. El amor de Cristo Jesús en tu vida es el imán que los atrae a ti, y eso, Freddie, solamente puede venir de Dios.

Yo respetaba la opinión de Sonny así que, no discutí con él. Pero dudaba que Dios realmente pudiera usarme a mí.

Tan pronto como enviamos por correo mi solicitud para el Instituto Bíblico, me propuse hacer algo que sabía debía hacer: regresar a San Antonio y hablarle al drogadicto del Señor Jesucristo. Ninfa y yo habíamos escrito un corto testimonio de cómo Jesucristo me había librado de las drogas y había impreso diez mil folletos.

Al iniciarse la primavera tuve la oportunidad de ir a San Antonio con un amigo. Ninfa estaba embarazada y no podía viajar conmigo. Papá y mamá me estaban esperando, pero pude darme cuenta de que ellos no estaban convencidos de que yo hubiera cambiado realmente. Mamá constantemente me veía los brazos, buscando marcas nuevas de piquetes de la aguja.

Me llevé mis folletos, primero que nada, a varias iglesias, con la esperanza de encontrar voluntarios que me ayudaran a repartirlos entre los adictos de las calles. Nadie se ofreció, por lo tanto busqué a Dios en oración. La casa que yo tenía en 658 N. San Eduardo estaba vacía y me fui ahí, a solas, a llorar mi desesperación, a buscar dirección. Caí de rodillas sobre el piso y clamé:

—Yo sé que Usted me trajo hasta aquí, Señor Jesucristo. Por favor, ayúdeme a alcanzar al drogadicto. Ellos necesitan saber que Tú los amas.

Tenía la certeza de que Dios estaba conmigo y en lo más profundo de mi ser sentí que Dios quería que fuera a visitar a los traficantes de drogas que yo conocía. No tenía sentido, de manera que volví a orar:

—Señor Jesucristo, yo sé que es Su voluntad que yo pueda alcanzar al drogadicto, pero no lo puedo hacer solo—. Mi oración brotó en una mezcla de español, inglés y lenguas, pero noté que mientras más oraba en lenguas, más fuerte era el llamado de ir a los traficantes de drogas.

Casi podía oír una voz dentro de mi cabeza que me decía: *"Dales los folletos a los traficantes. El adicto tiene que venir a él a comprar, y cada vez que venga, el traficante puede darle uno de tus folletos"*.

Era difícil creer que este pensamiento viniera de Dios, pero éste se hacía más fuerte cada vez, y finalmente, pensando que no tenía nada que perder, decidí hacerlo. Boogie fue el primer traficante que visité en el lado Oeste de la ciudad. Tan pronto como toqué su puerta la abrió y me dio la bienvenida:

—¡Oye Freddie! ¡Pásale! Oí que te habías metido a la religión, *bato*.

Me estrechó la mano y le entregué mi folleto.

—Aquí traigo mi testimonio por escrito y estaba pensando si me podías hacer un favor.

—¡Seguro, Freddie! ¿De qué manera te puedo ayudar?

—Quiero que le des a todo el *tecato* que venga a comprarte *carga*[g] uno de éstos.

Boogie se sorprendió pero no se negó:

—¿Sabes qué, Freddie? Es un privilegio para mí ayudarte, *bato*.

Agarró un martillo y unos clavos y me los dio:

—Toma, pon tu historia ahí en la pared. Clávala bien para que cuando lleguen los *batos*, la puedan ver luego luego. También déjame un montón aquí, en la mesa.

Visité a todos los traficantes que conocía en la ciudad y todos me dieron la misma respuesta.

Dos semanas después regresé a California agradecido, sabiendo que todos los *tecatos* de San Antonio iban a tener la oportunidad de leer que el Señor Jesucristo es la respuesta. Era mi oración que algún día Dios me permitiera regresar a mi ciudad natal y trabajar entre los adictos.

Mi solicitud para el Instituto Bíblico fue aceptada y en junio, cuando Ninfa tenía ocho meses de embarazo, nos despedimos del Centro Desafío Juvenil". Beto nos ayudó a cargar nuestras cositas en una camioneta que pertenecía al Centro. Cuando ya estábamos listos para irnos de ahí, Beto se desapareció por un

---

[g] *carga*: heroína

momento y regresó con un pequeño bulto de ropa y su colchón.

—¿Puedo irme a vivir con ustedes?—sonrió confiadamente.

Ninfa y yo nos volteamos a ver y nos carcajeamos:

—¡Súbete!—le dije a Beto—. ¡Vámonos!

Unas semanas después Ninfa dio a luz a un varoncito de casi cuatro kilos. Yo entré a conocer a mi hijo segundos después de que había nacido. Se veía fuerte y saludable.

—Su nombre es Pablo—le recordé a Ninfa—, como el apóstol, que fue fuerte y fiel para predicar el evangelio, a pesar de los obstáculos que se le presentaban. El nunca fue cobarde. Ojalá que mi Pablo tenga la misma determinación de servir a Dios. Además—bromeé con Ninfa—, al siguiente bebé que tengamos, a ti te toca ponerle el nombre.

Pasaba el mayor tiempo posible con mi recién nacido, siempre consciente de que solamente por Cristo Jesús, Pablo y Josefina tenían la seguridad de nuestro amor.

*   *   *

Los primeros meses que estuve en el Instituto Bíblico fueron de lucha continua. Ninfa no encontraba trabajo y apenas completábamos para pagar la renta. Muchas fueron las veces que recogimos envases de sodas tirados por las calles y los vendimos para comprar leche para Pablo. Dentro de mí se desataba una lucha pues sentía la tentación de abandonar los estudios y ponerme a trabajar.

Un día llegué a casa y encontré a Ninfa llorando:

—Pablo tiene hambre, Freddie—sollozó——. Le he estado dando agua de arroz todo el día, pero él quiere leche.

—Oremos ahorita mismo—le contesté—, porque yo no tengo ni un centavo.

Nos hincamos los dos juntos y oré:

—Padre Santo, soy Su hijo y estoy viviendo en un garaje viejo que he convertido en casa para mi esposa y mis hijos, y vendo botellas vacías para comprar la leche de mi hijo. Ayúdeme, Señor, porque yo no entiendo. A lo mejor yo sólo me emocioné con el Instituto Bíblico, y en realidad, debería estar trabajando. Ayúdame, Señor Jesucristo porque yo no sé qué hacer. Amén.

A las dos horas alguien tocó a mi puerta. Eran Pedro e Isaac, y en la entrada estaba estacionada una camioneta cargada.

—Freddie—sonrió Pedro—, el Señor Jesucristo bendijo al Centro con una donación grandísima de leche. Es más de lo qué podemos usar y sentimos el dictado de nuestro corazón de venir y descargarla aquí.

Nos dieron leche de chocolate, jocoque, leche descremada, leche común y corriente; suficiente como para darle a toda la vecindad. Humildemente me hinqué al lado de mi cama:

—Señor Jesucristo, perdóname por dudar; perdóname, Señor.

En la escuela había otra lucha: mientras que mis compañeros de clase ya estaban predicando sermones, yo aún tenía atada la lengua y estaba muerto de miedo de que me llamaran a hablar en público. Cada vez que lo intentaba, tartamudeaba y se me quedaba la mente en blanco. Cuando mis compañeros se dieron cuenta de que casi no podía hablar en público, comentaron:

—Quizá estás fuera de la voluntad de Dios, Freddie.

Sus palabras me traspasaron el corazón y lograron que mis dudas aumentaran:

—*¡A lo mejor no estoy en el lugar indicado!*—luché todo el año conmigo mismo—. *¿Estaré dentro de la voluntad de Dios?*—. Mi corazón decía que sí pero mi razón decía que no.

Al término del primer año escolar, sonó la campana y todos los estudiantes desfilaron fuera del auditorio para iniciar el verano. Yo me quedé atrás. Hincándome en mi banca, recosté la cabeza sobre mi Biblia, la abracé y lloré amargamente:

—Yo te pedí que usaras mi vida para alcanzar a los adictos de San Antonio, Señor Jesucristo. Si Usted cree que no puede usarme a mí, mande a cualquier otra persona que Usted quiera, pero mándeles a alguien. Usted sabe bien que yo no soy un rajón, lo que pasa es que no puedo enseñar ni predicar. Usted necesita alguien mejor que yo. Quiero darle las gracias a Usted por el privilegio de dejarme venir un año al Instituto Bíblico; pero a mí se me hace que Usted se equivocó conmigo. Además, ni siquiera tengo el dinero para volver el segundo año. Pero sí lo amo a Usted mucho, Señor Jesucristo, y si estoy agradecido por todo lo que Usted ha hecho por mí. Amén.

Esa misma semana, un grupo de señores de una iglesia Metodista que dirigía un lugar para delincuentes juveniles que salían de la correccional, me invitó a compartir mi testimonio. Después, los señores nos preguntaron a Ninfa y a mí si consideraríamos la posibilidad de ser los "padres" de ese hogar. Lo único que ellos pedían era que viviéramos ahí y les habláramos a esos jóvenes del Señor Jesucristo. ¡Era la respuesta a mi oración!

Ellos mismos nos ayudaron a cambiarnos a una casa enorme. Tenía tres recámaras, alfombra de pared a pared, aire acondicionado y nos iban a pagar la renta, la comida y aparte nos darían para los gastos. Iban a proveernos de todo esto durante los próximos dos años. Ninfa y yo, con Josefina y con Pablo, teníamos una recámara para nosotros solos. En los otros dos cuartos había literas que servirían para acomodar a seis jóvenes.

Mi amigo Beto ya se había reunido con su esposa y sus hijos y ya no vivía con nosotros. En su lugar estaba Manuel Zertuche, "El Pelón". Era un chamaco muy delgado, de dieciocho años de edad, que era mariguano y venía de San Antonio, Texas.

—Leí tu folleto, Freddie—me dijo—, y me imaginé que si Cristo te había podido cambiar a ti, El podía cambiarme a mí también.

Manuel se quedó, pero no estaba listo todavía para entregar su vida totalmente a Cristo. Muchas noches nos quedamos con él, implorándole que no volviera a las calles. Pero una mañana desapareció. Sobre la mesa de la cocina dejó, junto con las llaves de la casa, una nota que decía: "Lo siento, Freddie. Regreso a mi hogar. Estoy demasiado joven como para seguir a Jesucristo; todavía quiero gozar de la vida".

Ninfa comenzó a llorar pero le dije:

—Tú no puedes forzar a nadie a que ame a Cristo. Todo lo que podemos hacer es orar. Tal vez un día Cristo nos regrese a San Antonio; entonces podremos buscar de nuevo a Manuel.

En mi tercer año en el Instituto Bíblico aún no había predicado mi primer sermón. Pero una mañana, mientras recorría la lista de los estudiantes que iban a predicar ese semestre, mi corazón dio un brinco. Ahí estaba, en letras de molde: FREDDIE GARCIA.

Las siguientes semanas ayuné, oré en lenguas[7] y pasé muchas noches sin dormir, implorándole a Dios. Por fin desarrollé el bosquejo de mi sermón. Lo recité delante de Ninfa, una y otra vez. Pero cuando llegó el día, aún estaba atemorizado. Conforme caminaba hacia el púlpito, iba orando silenciosamente:

—Ayúdame, Señor Jesucristo; no dejes que haga el ridículo, no quiero deshonrar Tu nombre.

Con mi bosquejo delante de mí, me lancé, y repentinamente me sentí calmado. No estaba hablando por autoridad propia sino por la autoridad que me era dada por Dios. Cuando terminé, mi temor volvió:

—Ojalá que no te haya puesto en vergüenza, Señor Jesucristo—murmuré al momento que mis compañeros de clase me rodearon.

—¡Lo hiciste muy bien, Freddie!—seguían repitiendo—. ¡Lo hiciste muy bien!

Dios me había ayudado y yo lo sabía. Aún tenía temor de hablar públicamente, pero si El quería usarme, yo estaba dispuesto.

*   *   *

El día de mi graduación, en junio de 1970, al cruzar el escenario con la toga y el birrete, miré hacia la audiencia. Ninfa estaba sentada en la orillita de su asiento, con Pablo y Josefina muy cerca de ella. Junto a ellos estaba mi mamá. Había venido en avión desde San Antonio, para estar conmigo en este, mi día especial.

---

[7] Hechos 2:4, Biblia de las Américas

El tiempo había teñido de gris el cabello de mi mamá. Pero su faz irradiaba felicidad al verme.

—Gracias, Padre Santo—dije en voz baja—, por permitir que mi madre viera mi nueva vida en Cristo Jesús.

El Director del Seminario sonrió cuando estrechó mi mano. Ya con mi diploma, regresé a mi asiento. Estaba henchido de gratitud.

—Señor Jesucristo, Usted me levantó del arroyo, de las puertas del infierno Usted me rescató. Todo lo que soy y todo lo que llegue a ser se lo debo a Usted. ¡Todo el honor, toda la gloria y toda la alabanza sea Suya, y Suya solamente, ahora y por siempre!

Capítulo 6

San Antonio, Texas

> Pero recibiréis poder cuando el
> Espíritu Santo venga sobre vosotros;
> y me seréis testigos en Jerusalén, en
> toda Judea y Samaria, y hasta los
> confines de la tierra.
>
> Hechos 1:8
> Biblia de Las Américas

Tres días después de la graduación, mamá, Ninfa, los niños y yo, salimos rumbo a San Antonio, Texas. Los días calurosos y húmedos contribuían a que el camino nos pareciera interminable y aburrido, mientras nuestra camioneta de segunda iba tironeando por la ruta interestatal No. 10, cargada de maletas.

Ninfa iba sentada en el asiento delantero con Pablo, nuestro hijo de tres años, que dormía en sus brazos. Perlas de sudor corrían por la frente del niño hasta llegar a su empapado cabello. Mamá y Josefina iban rodeadas de cajas y maletas en el asiento de atrás, pero ninguna incomodidad podía apagar la felicidad que había en nuestros corazones.

Más adelante encontramos un área de descanso, con mesas y bancas bajo la sombra de unos árboles enormes.

—¡Mira, papi!—me gritó Josefina en el oído—. Un lugar para sentarnos a comer.

Volteando a ver a mamá que iba en el asiento de atrás, Ninfa le preguntó:

—¿Qué piensa?

—Pues ya pasan de las doce.

Yo quería seguir el viaje, pero me ganaron por mayoría de votos. Me hice a un lado del camino. Rápidamente, mamá y Ninfa pusieron nuestra comida, *tacos*[a] hechos en casa, sobre la mesa.

Tan pronto como terminamos de comer las apresuré:

—¡Vámonos! Todavía nos falta mucho para llegar.

—¿Y cuál es tu prisa?—bromeó Ninfa.

—Es que ya no me aguanto por llegar a San Antonio—solté la carcajada—. Me siento como un caballo bronco acabado de soltar. Estoy ansioso por saborear la victoria de alcanzar a los drogadictos de mi pueblo para Cristo.

El segundo día llegamos por fin, por la tarde, a la ciudad del Alamo, y seguí manejando hasta llegar a la calle familiar que conducía a la casa de mis padres. Con mi diploma y la foto de mi graduación en la mano, entré a la casa, listo para enseñárselos a papá. El estaba sentado en su sillón favorito, viendo hacia la puerta. Se veía muy envejecido; su pelo estaba completamente blanco. Mamá me había explicado que papá había perdido la vista casi completamente.

—¡Papá!—le grité.

—¿Quién eres?—trató de enfocar su vista en mí.

—Soy tu hijo, Alfredo, papá—lo abracé—. Acabo de graduarme en el Instituto Bíblico. Soy predicador.

Papá sonrió incrédulo:

—No me andes con mentiras, Alfredo.

---

[a] *tacos*: tortilla enrollada, rellena de diferentes guisados

—Es verdad—afirmó mamá orgullosamente—. Yo lo vi graduarse.

Papá guardó silencio por un rato y luego preguntó:

—¿Es verdad, Alfredo?

—Sí papá—le aseguré—. Soy predicador. Tu hijo Alfredo es de veras predicador.

Sin decir una sola palabra, se levantó de su sillón y dio la vuelta para irse a su cuarto. Rascándose la cabeza murmuró para sí:

—¿Predicador?—sacudió la cabeza y con mucho cuidado cerró la puerta tras de sí.

Mamá y yo nos volteamos a ver:

—No puede creerlo—mamá sonrió.

—No lo culpo—le contesté—. No, después de haber visto la clase de vida que llevé antes de encontrar a Cristo.

Estábamos exhaustos por el viaje y todos nos acostamos temprano, pero a la mañana siguiente, el conocido aroma de café recién hecho y de las *tortillas*[b] me despertó. Mamá me esperaba en la cocina, con un plato de huevos revueltos y *tortillas*.

—Siéntate, Alfredo, quiero hablar contigo.

Se sentó frente a mí al mismo tiempo que le dio un sorbo a su café:

—Cuando tú andabas en la heroína y no podías hacer los pagos de tu casa de la calle San Eduardo, me vi obligada a rentarla. Los renteros, descuidados, la han dañado mucho, pero todavía es tuya.

—Gracias, mamá—la abracé—. Gracias por habérmela cuidado, pero más que nada, por haber creído en mí todos estos años.

---

[b] *tortillas*: especie de pan sin levadura en forma de círculo y aplanado, hecho de masa de harina de trigo o de maíz

Un poco más tarde, Ninfa, los niños y yo, nos subimos a la camioneta y nos dirigimos al 658 N. San Eduardo. Mamá no había exagerado: la pequeña casita estaba en muy malas condiciones y necesitaba varias reparaciones de urgencia. La pintura del exterior se estaba descarapelando; los vidrios de las ventanas estaban quebrados; le faltaba parte del piso y los parches del techo se estaban cayendo. Se salía el agua del fregadero de la cocina y del lavabo del baño. Las paredes estaban verdes de lama. El olor de madera podrida y moho era penetrante, pero ni siquiera eso nos desanimó.

Unos cuantos días de fregar, limpiar y reparaciones de emergencia hicieron maravillas. Nos cambiamos y le dimos gracias al Señor Jesucristo por nuestra pequeña casita. Estaba amueblada con las cosas más esenciales que mamá nos había juntado: una cama, unas sillas, una mesa, un sofá destartalado y unos cuantos platos y tazas. Nuestro primer día ahí, llegó mi mamá con mi hermana Santos:

—Alfredo—me llamó hacia afuera—, mira lo que te trajimos.

Salí justo a tiempo para ayudarlas a cargar cuatro bolsas de mandado. Había un brillo en los ojos de mamá que no había visto en muchos años. Ella estaba feliz por nosotros y se le notaba. Una bolsa de manzanas coloradas atrajo la atención de Pablo. Cautelosamente se acercó a mamá, atento a cada uno de sus movimientos. Mamá le sonrió y le preguntó:

—¿Qué quieres?

—*An apple*[c]—contestó tímidamente en inglés.

—Pero, ¿cómo se dice *apple* en español, Pablo?—le sonrió mamá.

---

[c] *an apple*: una manzana

Se me puso la cara roja de vergüenza al ver que mi hijo se encogió de hombros y contestó en inglés:

—Yo no sé.

Mamá siempre había insistido en que le habláramos a ella en español. Ahora repetía este familiar desafío con la segunda generación: sus nietos.

Sacando una manzana de la bolsa, se la enseñó a Pablo y lentamente pronunció:

—Man-za-na. ¡Dilo! "Quiero una manzana".

Tímidamente, Pablo repitió después de ella:

—Quiero... una... manzana.

—¡Muy bien!—mamá lo abrazó.

Pablo salió del cuarto encantado de la vida, mordiendo su manzana.

—El sí entiende español—quise justificarme con mamá—. Y le recuerdo que lo hable, pero casi todos los niños de su edad no hablan más que inglés.

Mamá no contestó nada, pero en sus ojos había cierto regaño. Por la tarde comenté el incidente con Ninfa:

—Todo este tiempo he estado creyendo que Pablo aprendería a hablar español porque nosotros lo hablamos en casa, pero me equivoqué. Esto no sucede automáticamente. Vamos a tener que fijar un tiempo para enseñarles a nuestros hijos. No es su culpa si no lo han aprendido. La culpa es nuestra. Vamos a asegurarnos de que Josefina y Pablo practiquen bien el inglés y el español.

*   *   *

El sábado de esa misma semana, Ninfa y yo recibimos una bendición más: Francisco, Ricardo y Sandra vinieron a pasar el fin de semana con nosotros.

—¡Cómo has crecido desde la última vez que te vi, Francisco!—comenté mientras jugaba luchas con él en el piso.

—Ya tengo trece años, papá—contestó orgulloso.

—No es cierto, papá—protestó Sandra—, no los cumple hasta septiembre.

Abracé a Ricardo y lo acerqué a mí.

—¿Cuántos años tienes tú, *m'ijo*[d]?

Bajó la mirada sin hablar y tímidamente se retiró de mí.

—Tiene once, papá—Sandra se ofreció a contestar—, y yo voy a cumplir nueve.

No fue hasta la siguiente mañana que Ricardo se sintió lo suficientemente en confianza como para reír y jugar delante de mí.

—No me conoce—le dije a Ninfa—. He estado demasiado tiempo lejos de ellos. Voy a tener que establecer de nuevo una relación con mis hijos.

Cuando ya estaban listos para irse, Ninfa y yo los abrazamos y oramos:

—Padre, en nombre de Cristo Jesús, alcanza a todos mis hijos, para que ellos lleguen a conocerte como su Señor y Salvador.

Unos días más tarde telefoneó mamá. Su voz delataba su ansiedad:

—¡Papá está enfermo! ¿Me puedes ayudar a llevarlo al doctor?

Después de días de varios exámenes, papá fue operado para cambiarle una parte de su vena aorta abdominal. Tenía setenta y cinco años y el cirujano le dio un cincuenta por ciento de probabilidades de salir con vida. Papá estuvo siete horas en la mesa de

---

[d] *m'ijo*: mi hijo

operaciones mientras que la familia entera esperaba con mamá en el hospital. Mis hermanos y hermanas, sus esposos y esposas, sus hijos y sus nietos: éramos más de veinticinco, estaban en la sala de espera y en los corredores de la unidad de Cuidado Intensivo.

Una enfermera anglo-americana sugirió amablemente en inglés que nos fuéramos a casa a descansar, asegurándonos que el paciente estaba en muy buenas manos y no había realmente nada que pudiéramos hacer por él. Nadie se movió. Ella se molestó así que, yo traté de explicarle:

—Entre los méxico-americanos se acostumbra que todos los familiares estén presentes en una situación como ésta.

—Parece que ustedes no entienden—ella se estaba exasperando—, que este hombre está enfermo y no debe ser molestado. Si ustedes no se van, voy a tener que llamar al guardia de seguridad. A propósito— agregó—, cuando su padre salga del hospital, va a necesitar cuidados especiales. Ustedes deberían pensar en ponerlo en una casa de convalecencia. Su mamá no va a poder atenderlo adecuadamente aunque quiera. Es demasiada presión para una persona de su edad.

—¿Qué es lo que está diciendo, Alfredo?—mamá me tocó el brazo.

—Que papá estará mejor en una casa para convalecientes cuando salga del hospital.

Me miró con un gesto de oposición. Podía ver el temor en sus ojos.

—¡Prométeme que no vas a permitir que lo pongan en un asilo de ancianos!—me imploró.

La rodeé con mis brazos y le dije:

—No te preocupes, mamá; papá va a venirse a casa. Todos ayudaremos a cuidarlo.

Cuando finalmente papá llegó a la casa, la familia cooperó económicamente para que mi sobrina Linda se quedara a vivir con mamá a cuidar de papá de tiempo completo. Los demás nos turnábamos para pasar diariamente a ver qué necesitaban y ayudar con algún trabajo especial.

*   *   *

Ya teníamos casi dos meses en San Antonio cuando fui a visitar mi viejo *barrio*^e. Invité a Toño, un amigo cristiano, a que viniera conmigo.

—Vamos a ir a las *conexiones*^f de las drogas. Tráite tu guitarra y cántales de Cristo. Luego yo les testifico y les predico.

Tenía la esperanza de ver a mis viejos amigos de la pandilla, pero descubrí que casi todos ellos estaban en la penitenciaría.

Diariamente, Ninfa y yo salíamos a las calles a hablar de Cristo. Nos armábamos con bastantes folletos y subíamos por un lado de la calle y bajábamos por el otro. Parábamos a cualquier *tecato*^g, blanco, negro o moreno, que nos escuchara.

Casi todos eran corteses y atentos, pero eso era todo: no había respuesta, no había nada. Los días se hicieron semanas y las semanas meses y no veíamos ni a un solo adicto acercarse a Cristo.

Tampoco estaba teniendo buenos resultados en alcanzar a nuestra comunidad con mi súplica de ayuda para detener esta ola de drogadicción. Solamente

---

^e *barrio*: Parte o distrito de una población grande. En San Antonio, la parte de la ciudad donde predominan méxico-americanos

^f *conexiones*: Sitio o persona que vende drogas

^g *tecato*: vicioso, drogadicto

había podido conseguir unas cuantas invitaciones para hablar en las escuelas y en los clubes sociales.

—¿Por qué será que no están saliendo bien las cosas?—le comenté a Ninfa—. Los viciosos, a los que les he hablado, aún están en la adicción; no he podido alcanzar a ninguno de ellos.

—Dios ve lo que estás haciendo—me recordó—. Míralo de esta manera. Tú eres el primer ex-drogadicto de la ciudad a quien se le permite dar conferencias sobre la educación y prevención de drogas en las escuelas. ¡Tú estás alcanzando a los jóvenes antes de que echen a perder sus vidas! En las calles no solamente le dices al drogadicto lo que Cristo puede hacer por él, sino que tú eres un ejemplo vivo. Tú estás haciendo lo mejor que puedes, Freddie, y eso es todo lo que Dios te pide.

—¡Pero todo eso no resuelve nada!—objeté.

—Entonces contéstame esto—preguntó Ninfa seriamente—. ¿Estás seguro de que es aquí donde Dios nos quiere? Recuerda que Sonny te dijo que te necesitaba allá en Los Angeles.

—¡Yo sé que es aquí donde el Señor me quiere!—le aseguré—. No me refiero a eso. Lo que no puedo entender es por qué no están saliendo bien las cosas.

Salí nuevamente a las calles con un montón de folletos, y cuando regresé, Ninfa estaba visiblemente afligida.

—¿Qué pasa?—pregunté.

—Josefina vino de la escuela llorando—me dijo Ninfa—. Dice que odia su pelo oscuro y sus ojos cafés porque la hacen verse fea. Quiere tener cabello rubio y ojos azules.

—¿De dónde sacó eso?—exclamé.

—Ha estado oyendo una y otra vez lo bonita que se

ve cierta chiquilla rubia, de ojos azules, ahí en la escuela— contestó Ninfa—, y Josefina se imagina que como ella tiene el cabello castaño y los ojos cafés, no debe de ser bonita.

Aquí estaba el fantasma de mi niñez, levantándose para aterrorizar a mi propia hija.

—Señor Jesucristo—oré en voz alta—, yo nunca podré proteger a mis hijos de los prejuicios y la desigualdad que siempre serán parte de este mundo. Ayúdanos a hacer que nuestra hija comprenda que Tú la has creado para tu propia gloria. Amén.

—¿No crees que todavía está muy chiquita para entender?—preguntó Ninfa.

—Si ella pudo ver la diferencia entre blanco y moreno, tiene edad suficiente para entender.

Llamé a Josefina que estaba jugando, la levanté y la senté en mis rodillas. Comencé a acariciarle el pelo y comenté:

—¿Sabes que a tu mamá y a mí nos gusta tu pelo?

—¡A mí no me gusta!—protestó—. ¡Yo quiero mi cabello rubio para estar bonita!

—Contéstame una cosa—le dije—: ¿Tú sabes que el Señor Jesucristo te ama?

—¡Sí!—afirmó con la cabeza.

—¿Y quién crees que escogió el color de tu cabello y de tus ojos?

Josefina fijó sus ojos en mí con expectación y yo le sonreí:

—¡Jesucristo los escogió! Déjame enseñártelo en la Biblia.

Leí en voz alta:

—"...el SEÑOR, es Dios; El nos hizo, y no nosotros a nosotros mismos..."[1]. Eso quiere decir, Josefina,

---

[1] Salmo 100:3, Biblia de Las Américas

que cuando tú estabas en la panza de tu mamá, Jesucristo hizo cada parte tuya—. Le acaricié sus orejas, su nariz y sus labios y ella se carcajeó.

—Dime, *m'ija*, ¿te gusta la voz que El te ha dado para cantar?

Movió su cabeza afirmativamente. Le di un beso cariñoso y la aconsejé:

—Bueno, ahora vamos a orar tú y yo y a pedirle al Señor Jesucristo que te ayude para que te guste el color de tu cabello y el de tus ojos, porque El los escogió especialmente para ti.

Oramos y una brillante sonrisa apareció en su carita. Me echó los brazos al cuello, me dio un fuerte abrazo y luego se fue a jugar.

Esa noche me quedé despierto:

—Padre Santo, yo sé que Usted quiere que alcance a los adictos, pero Usted también me hizo padre de familia y me dio la responsabilidad por ella. Ayúdeme a enseñar a mis hijos a amarlo y que sepan que Usted los ama.

*   *   *

La ciudad de San Antonio ya empezaba a darse cuenta de nuestra presencia. Me invitaban a participar en programas de televisión sobre el abuso de drogas, y los periódicos reportaban sobre mis conferencias en las escuelas. Dondequiera que hablaba, siempre les hablaba del Señor Jesucristo.

Un drogadicto curado causaba curiosidad y los clubes sociales y las iglesias me invitaban como orador. Tuve la certeza de que en el momento apropiado, ellos mismos me apoyarían en la labor de alcanzar al drogadicto.

*   *   *

Ninfa y yo sentimos la urgente necesidad de abrir una "Casa de Rescate" donde el adicto pudiera quedarse.

—No es suficiente hablarles en las calles—le dije a Ninfa—. Necesitamos *de siete a ocho acres*[h] de tierra con una casa de seis recámaras por lo menos, para poder hospedarlos.

Ambos estábamos convencidos de que una vez encontrando el terreno apropiado, Dios nos daría el dinero para comprarlo. Varios agentes de bienes raíces nos ayudaron y anduvimos por todo San Antonio viendo diferentes casas. Estas eran o demasiado pequeñas o demasiado caras, demasiado cerca del centro o demasiado lejos.

—¡Señor Jesucristo!—grité desesperado—. ¿Dónde está la casa? ¡Cuánto tiempo debemos buscar?

En mi interior persistía un pensamiento: *"Abre tu casa; tráelos a vivir contigo"*.

—¡Eso no puede ser de Dios!—me contesté yo mismo—. Esta casa no se presta para eso. Apenas es lo suficientemente grande para acomodar una pareja con dos niños chiquitos. El techo gotea tanto que tenemos que poner dos o tres tinas cuando llueve y nosotros tenemos que cubrirnos en la cama con un plástico para no mojarnos durante la noche. Cuando hace frío, tenemos que rellenar con papel periódico las rendijas de la pared, para que no se cuele el aire frío.

Mi sentido común me decía que en un sitio tan pequeño y tan maltratado como éste, no podía comenzar una casa de rescate para el adicto, mucho menos un ministerio a gran escala; pero aún así, no

---

[h] *de siete a ocho acres*: más o menos tres hectáreas

me podía quitar la idea de la mente. Me acostaba pensando en ello y era mi primer pensamiento al despertar.

Ninfa no se había dado cuenta de mi lucha interior, pero una mañana, mientras tomábamos café, ella sugirió:

—Freddie, ¿por qué no abrimos la casa y traemos al adicto a vivir con nosotros?

—¿Estás loca?—exploté—. ¿Dónde los ponemos?

Los ojos de Ninfa brillaron de la risa:

—Durante el día no habrá ningún problema. En la noche, podemos poner unos ganchos en la pared—.

Luego levantándose el cuello de la blusa por la parte de atrás, se acercó a la pared y mostrándome casi muerta de la risa añadió— y los colgamos a dormir así.

—¡Yo no le hallo nada de chiste a eso!—di la media vuelta y salí de la casa enojado—. Ahora sí sé que ese pensamiento no es de Dios—murmuré entre dientes y me lancé a las calles.

En la calle Guadalupe se escuchaban las polcas que resonaban de las sinfonolas de las cantinas. Los traficantes de drogas y las prostitutas vendían su mercancía en las esquinas. Los drogadictos y los alcohólicos se amontonaban en las aceras. Otros dormitaban recargados en las paredes de los edificios. De repente mis ojos se llenaron de lágrimas.

—El invierno ya está a la vuelta de la esquina, Señor Jesucristo, y ellos no tienen dónde ir. Nadie los quiere; a nadie le importan.

Finalmente me di cuenta de que había sido el Espíritu Santo el que había estado tratando con mi corazón todo este tiempo.

—¡Yo lo hago, Señor Jesucristo! Usted sabe que mi

casa es muy pequeña, pero todos ellos pueden venirse a vivir con nosotros.

Esa misma noche, Ninfa y yo pusimos nuestras manos en las paredes de nuestro hogar ubicado en el 658 N. San Eduardo, y ungimos la casa con aceite y la dedicamos al servicio de Dios. Podíamos casi escuchar las pisadas de muchos adictos, llegando a casa.

Capítulo 7

Los Broncos

Y es que, para avergonzar a los sabios,
Dios ha escogido a los que el mundo
tiene por tontos; y para avergonzar a
los fuertes, ha escogido a los que el
mundo tiene por débiles.

Dios ha escogido a la gente despreciada
y sin importancia de este mundo,
es decir, a los que no son nada, para
anular a los que son algo.

Así nadie podrá presumir delante de
Dios.

1 Corintios 1:27-29
Dios Habla Hay

Un silbido acompañado por el fuerte golpear en mi puerta me levantó de la mesa donde estaba cenando.

—*¡Ese*[a], Freddie!—gritó una voz.

En el mes de febrero oscurecía muy temprano y soplaba aire frío. Haciendo a un lado la cortina, me asomé por la ventana.

—¿Quién es?

—Soy yo, José Zertuche.

Cuando abrí la puerta, se tropezó al entrar. Los

---

[a] *¡Ese!*: ¡Oye!

pantalones de caqui y la chaqueta rota le quedaban flojos a pesar de su alta estatura, haciéndolo verse acabado y mayor de los veintiún años que tenía.

—Ando muy *prendido*[b], Freddie—me confesó temblando de lo enfermo que andaba—. Estoy usando heroína todos los días, y vine a ver si me dejabas *romper*[c] mi vicio aquí en tu casa.

—Seguro, José—, cerré la puerta detrás de él—. Viniste al lugar adecuado. ¡Jesucristo te va ayudar a romper tu vicio.

—¡Orale bato![d] ¿No entiendes?—volvió a temblar—. ¡Me voy a poner *malía*[e]! ¡Mírame! ¡Ya me están dando los escalofríos!

Me arremangué la manga y le enseñé mis propias cicatrices de las agujas.

—Yo entiendo, José, pero también sé que el Señor Jesucristo tiene poder para darte la victoria sobre la drogadicción.

Oramos Ninfa y yo, y la presencia del Espíritu Santo se sintió en el cuarto. José respiró profundamente y se calmó.

Después de una semana, físicamente terminó de *romper* su vicio y comencé a enseñarle de la Biblia.

—La droga nunca ha sido tu problema, José. El pecado es tu problema. Aquí dice en la Biblia: "...por cuanto todos pecaron y no alcanzan la gloria de Dios..."[1] Jesucristo enseña que "...Todos los que pecan son esclavos del pecado"[2]. Tú eres drogadicto

---

[b] *prendido*: adicto a la heroína

[c] *romper*: interrumpir la continuidad del uso de la droga

[d] *¡Orale, bato!*: ¡Qué tienes, hombre!

[e] *malía:* enfermo por falta de droga

[1] Romanos 3:23, Biblia de Las Américas

[2] Juan 8:34, Dios Habla Hoy

porque eres esclavo del pecado. Pero hay esperanzas.

Mira lo que dice la Palabra de Dios: "Si confesamos nuestros pecados, El es fiel y justo para perdonarnos los pecados y para limpiarnos de toda maldad"[3].

Eso quiere decir, José, ¡que Jesucristo tiene el poder para romper las cadenas del pecado! El te perdonará y te libertará; todo lo que tienes que hacer es pedírselo. Arrepiéntete de tus pecados y ya no serás drogadicto.

José escuchó atentamente pero no dijo nada. A los pocos días de su llegada, llegaron dos adictos más buscando un sitio donde poder *romper* su vicio. Con tres muchachos incorporados a nuestra familia teníamos que tener más espacio. Decidimos romper la pared que separaba nuestra pequeña cocina del portal de atrás, y cerrando todo el portal podríamos usar ese cuarto como recámara. Cuando les mencioné el plan a los muchachos, José me informó:

—Mi hermano Manuel Zertuche, "El Pelón", sabe de carpintería, Freddie, nomás que anda *prendido*.

—¿*Prendido*?—me sorprendí—. ¿En la heroína?

—Sí, Freddie—contestó José—. Anda muy *prendido*.

—Vamos a preguntarle si nos quiere ayudar a componer el lugar—lo apresuré—. A lo mejor mientras está trabajando aquí Cristo trata con él.

Esa tarde Ninfa y yo oramos:

—Señor Jesucristo, Tú sabes cuántas veces le pedimos a Manuel que rindiera su vida a Tí, cuando él estuvo en California. Toca su corazón, Cristo, que vuelva contigo.

Manuel pasó días después para ver qué era lo que

---

[3] 1 Juan 1:9, Biblia de Las Américas

necesitaba repararse. ¡Casi ni lo reconocí! Era solamente un año mayor que José, pero estaba en peores condiciones. Su cabello largo era una masa sucia de nudos enredados. A través de las mangas rotas de su camisa se le podían ver bolsas de pus por el uso de las agujas sucias.

Mi corazón fue hacia él.

—Tú ya sabes del Señor Jesucristo, Manuel—puse mi brazo alrededor de él—. Yo no tengo qué decirte. Cuando estés bastante cansado y quieras cambiar, pídele a El que te perdone por todos tus pecados. El te hará libre de la drogadicción.

Agachando la cabeza él admitió:

—Yo sé que voy a tener que tomar una decisión un día, Freddie. Nomás *juégala fría*[f]; ¿está bueno?

—¡Hazle caso a Freddie!—le gritó José—. Yo acepté a Cristo hace unos cuantos días. Estoy limpio, *bato*. ¡Jesucristo *es de aquellas*[g]!

Manuel ignoró a su hermano y cambió el tema:

—¿Qué de este trabajo, Freddie? ¿Ta' bueno si comienzo ahorita, trabajo hasta la tarde y me quedo en la noche?

—¡Seguro que sí!—estuve de acuerdo—. Nomás déjanos orar por ti.

—¡Dale!—inclinó la cabeza.

—Señor Jesucristo, gracias por traer a Manuel; ayúdalo a que vuelva a Ti—oramos.

A la mañana siguiente, Manuel entró corriendo a la cocina:

—¡Freddie! ¡Ninfa! Anoche le pedí al Señor Jesucristo que me perdonara por todos mis pecados.

---

[f] *juégala fría*: espera
[g] *¡es de aquellas!*: es bueno

Le dije de lo cansado que estaba de andar todo echado a perder y le prometí seguirlo, ¡sin importar lo que pasara!

Se detuvo abruptamente con una mirada de asombro:

—¡No estoy enfermo!—dijo tocándose los brazos—. A lo mejor me andaba *tirando*[h] una heroína *chafa*[i]. Eso ha de ser, ¿no crees, Freddie?

—¡No *bato*!—lo corregí—. Eso no es. Tú estás experimentando el poder sanador de Dios en tu vida.

—Gracias, Señor Jesucristo—dijo Manuel en voz baja mientras las lágrimas se deslizaban por sus mejillas—. Gracias, Señor Jesucristo.

*   *   *

Un periódico local publicó que el Señor Jesucristo estaba cambiando al drogadicto en el lado Poniente de la ciudad. El artículo atrajo cuatro drogadictos más.

¿Qué vamos a hacer, Freddie?—Ninfa miró alrededor de la pequeña sala que servía de comedor y de capilla—. Tenemos ocho muchachos viviendo con nosotros y tres más acaban de llamar, deseando venir. ¿Dónde van a dormir?

—Eso no es problema—contesté----, simplemente haremos más campo.

Me dirigí a Manuel Zertuche:

—Llama a José y al resto de los muchachos; diles que te ayuden a sacar el sofá, la cómoda y todo lo que esté en la sala.

—¿Y dónde los ponemos?—bromeó.

—¡Afuera!—señalé el patio de enfrente.

---

[h] *tirando*: inyectando
[i] *chafa*: débil, cortada

Alguien nos había dado un pedazo de lona vieja. Clavamos una de las orillas a un lado de la casa; la otra la montamos en dos palos formando un techo y ahí guardamos nuestros muebles. Ahora podríamos acomodar a nuestros recién llegados en el piso de la sala.

Con once muchachos viviendo con nosotros surgió otro problema y se lo presenté a los muchachos una mañana después de nuestro estudio bíblico:

—Ninfa está cocinando y lavando para todos y creo que podría ocupar la ayuda de todos con el resto de los quehaceres, así que, vamos a ayudarla. A cada hombre se le va a dar un trabajo por todo un mes; luego cambiamos, rotando los diferentes trabajos. José, tú lavas los platos por la mañana; Manuel, tú barres y trapeas; Lupe, tú te encargas de limpiar el baño; "Venado", tú te encargas del patio...

Entusiasmado por lo que Cristo estaba haciendo, llamé al Pastor Sonny a Los Angeles, California.

—¿Te gustaría ver un Centro Victoria, aquí en San Antonio?

—¡Bendito sea Dios, Freddie!—gritó por el teléfono—. Estábamos discutiendo precisamente cómo iniciar ministerios nuevos en otros lugares. Deja que les diga a los muchachos lo que vas a hacer—. Hizo una pequeña pausa y luego añadió—: ¡Tiene que ser Dios, Freddie! Dale, deja que el Señor Jesucristo te dirija.

—Sonny—ahora fui yo quien hizo una pausa—. ¡Ya comenzó! Tenemos once muchachos viviendo con nosotros. ¡Nuestro Señor Jesucristo está alcanzando al adicto de San Antonio, Texas!

—¡Gloria a Dios!—se regocijó Sonny—. Esa es la confirmación de que estás haciendo lo que Dios te llamó hacer.

*   *   *

Cada semana, mamá y mi hermana Santos, fielmente traían varias bolsas de comida, pero al cabo de unos cuantos días, nuestra alacena estaba nuevamente vacía.

—Ustedes saben que muchas mañanas hemos comenzado el día sin comida en la casa—les recordé a los muchachos—. Pero también han visto al Señor Jesucristo responder a nuestras oraciones por la mañana, al mediodía y por la tarde, y nunca nos ha dejado sin alimento.

—¡Amén!—saltaron, brincaron y aplaudieron—. ¡Amén!

—Es cierto—sonreí—, que nuestro menú consiste en frijoles, arroz o papas para desayuno, comida y cena, pero yo creo que si le pedimos al Señor que nos dé una carnita, estoy seguro de que lo hará. ¿Amén?

Los muchachos aplaudieron con entusiasmo y chiflaron con aprobación. Mi amigo Toño, que con frecuencia estaba ahí con su guitarra tocando y cantando, se echó a reír.

—Cada vez que como con ustedes, tengo que orar: "Cristo, haz que estos frijoles sepan a carne".

Su comentario inició una nueva ola de silbidos, aplausos y risas. Por fin, nuestros muchachos se calmaron y cayeron de rodillas. Con fe como la de un niño, empezamos a orar en inglés, español y en otras lenguas[4]. El cuarto resonaba con nuestras voces subiendo poco a poco y bajando de tono hasta llegar a un suave murmullo, mientras la suave presencia del Espíritu Santo nos llenaba de reverencia. Algunos

_____

[4] Hechos 2:4, Biblia de Las Américas

muchachos comenzaron a llorar silenciosamente; otros fueron capturados en la alabanza:

—¡Te amo, Señor Jesucristo, Te amo!

No quería irme, pero tenía el compromiso de ir a hablar a una de las escuelas. Cuando regresé por la tarde, Rogelio, uno de los muchachos nuevos, me recibió emocionado:

—¡El Señor Jesucristo respondió a nuestra oración: nos mandó carne! Un coche que iba pasando, accidentalmente le pegó a una gallina de nuestro vecino, enfrente de nuestra casa. Corrimos a ver, Freddie, y al ver que la gallina ya estaba muerta, le dimos gracias al Señor Jesucristo, la metimos, la limpiamos y la cocinamos.

Yo no sabía si enojarme o echarme a reír. Mis ojos se encontraron con los de Ninfa.

—¡Yo no estaba aquí!—levantó ambas manos y se atacó de risa—. Cuando yo llegué a la casa, ya se la habían comido!

Otro día me fui a la cárcel del condado a hablarles a los prisioneros. Cuando regresé a la casa encontré un coche estacionado enfrente. Adentro de la casa estaba Benito, mi viejo amigo de la pandilla del *barrio*[j], poniendo dos pesadas bolsas de comida sobre la mesa de la cocina. Yo sabía que Benito apenas había salido de la penitenciaría y otra vez andaba en las calles vendiendo droga. Sacó un rollo de dinero de su bolsillo y me dio tres billetes de veinte dólares cada uno.

—Ten, Freddie; tú no tienes que andar pasando hambres mientras nosotros estemos aquí.

---

[j] *barrio*: Parte o distrito de una población grande. En San Antonio, la parte de la ciudad donde predominan méxico-americanos

Su bondad me conmovió pero yo sabía que no era su dinero; pertenecía al que le estaba surtiendo la droga. Le cerré la mano con los billetes:

—No, Benito, porque después vas a salir *corto*[k] cuando le reportes al "dueño".

Benito sonrió, y por el efecto de la heroína, balbuceando añadió:

—No te apures, Freddie; he salido *corto* otras veces—, apretó los billetes en mi mano—. Tú lo necesitas para darles de comer a estos *batos*.

Se dirigió hacia la puerta y se detuvo:

—Yo me siento *de aquella*[1] de que tú la estés haciendo. Tas' *limpio*[m], *bato*, y eso es lo que cuenta. Síguele así—.

—Muchas gracias, Benito—le estreché la mano—. Y ya sabes que Cristo Jesús te puede cambiar a ti también.

Bajó la vista.

—Eso no es para mí, Freddie; no estoy listo todavía—.

Miró su reloj y añadió—: Tengo que *descontarme*[n], ái te miro.

Cuando se fue, Ninfa me platicó que Benito había pasado antes por la casa, buscándome. Había abierto el refrigerador buscando algo de comer y cuando se dio cuenta de que estaba vacío se fue. Los ojos de Ninfa se llenaron de lágrimas.

—Anda muy *prendido*, Freddie, y sin embargo vio la manera de ir a comprarnos comida.

---

[k] *corto*: incompleto

[1] *de aquella*: contento

[m] *limpio*: sin drogas en el sistema

[n] *descontarme*: irme

La misma semana, llegó una camioneta azul claro, muy temprano por la mañana. Se bajó de ella un hombre vestido de sacerdote. Se presentó como el Padre Renfro, uno de los sacerdotes de la Iglesia Católica de Nuestra Señora de Guadalupe. Sonriendo me dijo:

—Leí en el periódico de tu trabajo. No sé qué puedo hacer para ayudarte, pero te he traído unas cuantas bolsas de comida; y de parte de nuestra Iglesia, aquí están veinticinco dólares con que prometemos contribuir mensualmente.

Como si se hubiera puesto de acuerdo, la gente de la comunidad comenzó a traernos comida, ropa y algunos pequeños donativos de dinero. Vi aumentar la fe de nuestros muchachos al experimentar tan tangibles respuestas a sus oraciones.

—Esto es de lo que nos habla la Biblia—les expliqué durante el servicio de capilla—. Cristo dijo: "Pero buscad primero su reino y su justicia, y todas estas cosas os serán añadidas"[5]. Ustedes van a ver al Señor Jesucristo hacer lo mismo en todo Texas. En todas las ciudades principales habrá Centros Victoria como éste, alcanzando a aquellos que aún están sufriendo y ustedes van a ver que el Señor Jesucristo va a contestar sus oraciones también.

—Les voy a decir algo más—continué—, Dios los está entrenando a ustedes en este mismo instante, porque Él los va a usar a ustedes para promover esos ministerios.

—Pero, Freddie—Manuel Zertuche se veía preocupado—, yo no sé ni cómo hablarle a alguien de Cristo.

---

[5] Mateo 6:33, Biblia de Las Américas

—¿Cómo aprendiste a manejar el coche?—le sonreí—. Tú viste a alguien hacerlo y aprendiste, ¿no?

Manuel asintió.

—"Pos" ¡yo les voy a enseñar cómo testificar por Cristo!—hice la silla para un lado—. Vamos a comenzar ahorita mismo. Tú haces cómo qué eres un muchacho que va caminando por la calle, y yo soy el cristiano que va a testificarte. Fíjate cómo lo hago y luego vamos a cambiar; tú me testificas a mí.

Manuel saltó de su silla y el resto de los muchachos se animó y se sentó a mirar la escena.

—Presten atención—les dije—, porque después de Manuel, cada uno de ustedes lo va a hacer.

Repetimos la escena una y otra vez hasta que a todos les tocó su turno.

—Ahora sí ya aprendieron—les dije sintiéndome muy orgulloso de ellos—. Vamos a orar por treinta minutos, y luego le "pegamos" a la calle Guadalupe.

Estando en la acera, le di a cada uno un montón de folletos.

—Yo hablaré con el primer *bato* que venga. Mírenme y luego háganlo ustedes.

No nos fuimos de la calle Guadalupe hasta que cada uno de los muchachos tuvo la oportunidad de testificarle a alguien de Cristo.

Regresaron a la casa motivados, cada uno con una historia que contar:

—Yo estaba nervioso, *bato*—, confesó Lupe—, pero luego oré, y Cristo me dio las palabras que decir.

—¡La misma cosa me pasó a mí!—compartió Rogelio.

—¡Amén! ¡A mí también!—y se miraron unos a otros con asombro—. ¡Aleluya! ¡Gracias, Cristo Jesús!

Nuestra pequeña sala se llenó de sonidos de alabanza. Los muchachos aplaudían, golpeaban en el suelo con los pies, chiflaban y gritaban a todo volumen "¡Gracias, Señor Jesucristo!"

En ese momento alguien tocó a la puerta. Ninfa abrió. Un policía estaba parado en la puerta y mostraba gran preocupación.

—Señora, recibimos un aviso de que se estaban peleando.

Ninfa sonrió:

—Nadie se está peleando, oficial. Solamente estamos orando, cantando y alabando a Dios. Usted puede entrar a ver.

El oficial también se sonrió:

—Continúen lo que estaban haciendo. Venimos simplemente para cumplir con el llamado.

Dio la vuelta y se fue. Detuvimos nuestra alabanza el tiempo suficiente para cenar, y luego empleamos el resto de la noche estudiando la Biblia.

*   *   *

Durante uno de los momentos de oración nocturna, un horrendo frío comenzó a invadir el ambiente del cuarto. Oímos un golpe y luego sentí algo arrastrándose por mis pies. Era Roberto, uno de los muchachos recién llegados. Se retorcía boca arriba en el piso hacia la puerta de entrada. Tenía cerrados los ojos y sacaba y metía la lengua como si fuera una víbora. Con la cabeza rompió la tela de alambre de la puerta y rápidamente entré en acción.

—¡Ayúdenme a detenerlo!—les dije a los muchachos—. ¡Se puede lastimar!

Lo jalamos por las piernas hacia el cuarto y los muchachos, imaginándose que estaba enfermo, le impusieron las manos y comenzaron a orar. Inmediatamente Roberto comenzó a silbar, a escupir y mordió la Biblia que estaba a su alcance. Luego habló en una voz profunda y extraña:

—Mi nombre es Satán—dijo.

Ernesto, temblando de miedo, preguntó:

—Freddie, ¿puede el diablo realmente poseer a una persona?

—Sí lo puede, si la persona no es salva[6]—le expliqué—. Pero no puede poseer a un cristiano que ha nacido de nuevo[7], los cristianos que han "…lavado sus vestiduras …en la sangre del Cordero"[8]—le aseguré.

Roberto se quedó dormido y todos nos fuimos a la cama.

—Freddie—me despertó Ninfa al día siguiente—, ¿no has visto mi Biblia?

—No, pero puedes usar la mía.

La había puesto al lado de mi cama la noche anterior, pero ahora ya no estaba ahí. Me levanté y al pisar a alguien brinqué de vuelta a la cama.

—¿Qué está pasando?

José y Rogelio se habían arrastrado silenciosamente a nuestro cuarto durante la noche y estaban dormidos en el suelo, cerca de nuestra cama. Un poco apenados explicaron:

—Tuvimos miedo de dormir cerca de Roberto.

—¡Levántense!—y solté la risa—. ¡Ayúdenos a encontrar nuestras Biblias!

—¡Las de nosotros tampoco están aquí!—los otros muchachos gritaron por toda la casa.

—¡Mira, Freddie!—Ninfa se echó a reír señalando

[6] Hechos 16:31, Biblia de Las Américas
[7] Juan 3:3-5, Biblia de Las Américas
[8] Apocalipsis 7:14, Biblia de Las Américas

la cama de Ernesto que estaba en la cocina—. ¡El tiene todas nuestras Biblias!

Ernesto estaba dormido todavía, rodeado de nuestras Biblias abiertas, pero se despertó cuando todos nos amontonamos a su alrededor. El también, confesó, había tenido miedo.

Recogí mi Biblia.

—Aquí dice: "…porque mayor es el que está en vosotros que el que está en el mundo"[9]—. Luego les dije—: No hay nada que temer mientras Cristo Jesús sea el Señor de tu vida.

—Freddie, ¿por qué es que Roberto no ha sido libre?—preguntó Manuel Zertuche.

—Cristo nos enseña que este tipo de demonio "…no sale a menos que uno haya orado y ayunado"[10]— le expliqué.

—Entonces, ayunemos—los muchachos acordaron.

Pero Roberto se fue ese mismo día. Los muchachos se desanimaron un poco y les dije:

—Lo mejor que podemos hacer por Roberto es orar para que un día él permita que el Señor Jesucristo lo libere.

* * *

Había andado todo un día tratando de solicitar fondos que me ayudaran a alimentar a los muchachos, y al llegar a la casa, encontré a un joven, sentado en los escalones del frente, esperándome.

—Este es Juan Garza—lo presentó Ninfa—. Necesita un lugar donde *romper* el vicio.

—¡Hijo, bato![ñ] Tengo la casa llena—. Moví la cabeza

---

[9] 1 Juan 4:4, Biblia de Las Américas
[10] Mateo 17:21, La Biblia al Día
[ñ] *¡Hijo, bato!*: ¡Caramba, muchacho!

negativamente—. No es que no te quiera, pero es que los muchachos están durmiendo en todo el piso; ya no tengo más lugar.

—Yo estoy dispuesto a dormir donde sea, señor

—respetuosamente insistió— solamente quiero *quebrar*°, señor García.

—¡Bueno!—abrí la puerta—. Si a ti no te molesta, a nosotros tampoco. ¡Entra!

Llegó justo a tiempo para unirse a nuestra sesión semanal, donde se discutían los problemas que surgían. José habló primero:

—Yo no tengo nada de qué quejarme de las reglas del programa. El del problema soy yo—. Se veía un poco nervioso—. No se rían, pero ahorita tú, Freddie, acabas de presentarme con este *bato* nuevo como José Zertuche, ¿verdad?

—Ese es tu nombre, ¿qué no?—me sonreí.

—¡Pero ése es el *jale*ᵖ, *bato*!—ya estaba enojado—. ¡No me gusta mi apellido! No tienes que decir Zertuche. Nomás di: "Este es José".

—¿Y qué de malo tiene tu apellido?—preguntó Ninfa—. Yo pienso que es hermoso.

—¡No me cae!—gritó—. ¡Nomás no me cae!

—*Aquí estamos otra vez, Señor Jesucristo*— silenciosamente oré—: *otro méxico-americano a quien no le gusta su nombre español. Son diferentes personas en diferentes tiempos, pero es el mismo problema. Dame sabiduría para ayudarle a entender.*

—Está mal que tú te menosprecies por tu apellido o tu raza—le dije a José—. Eso es odiarte a ti mismo. Ante los ojos de Dios no importa si tu nombre es

---

° *quebrar*: romper el vicio
ᵖ *jale*: detalle

Smith o Zertuche, o si tu piel es negra, café, blanca o morada. El te ama a ti. El te creó, y cuando te odias a ti mismo, estás menospreciando a Dios. Dios no se equivocó. La Biblia dice que Dios te formó exactamente de la manera que El quería que fueras[11]. Tú necesitas pedirle a Cristo Jesús que te ayude a gustarte así como El te hizo, con tu nombre y todo lo demás.

Nos reunimos alrededor de José y oramos para que él permitiera que Dios curara esas viejas heridas y le ayudara a aprender a aceptarse a sí mismo. Sin embargo, a la mañana siguiente, se fue.

—No estoy listo todavía—dijo tristemente—. Cuando esté más viejo, a lo mejor regreso.

—José iba tan bien—. Ninfa trató de contener las lágrimas—. ¿Por qué se fue?

—José necesitaba el bautismo en el Espíritu Santo— le contesté—. Jesucristo dijo: "Pero cuando el Espíritu Santo venga sobre ustedes, recibirán poder…"[12]. Yo creo que cada ex-drogadicto necesita ser bautizado en el Espíritu Santo. Sin el poder del Espíritu Santo, estos muchachos no van a poder hacerla. Ellos necesitan poder para vivir la vida cristiana, poder para resistir la tentación, poder para testificar, enseñar y predicar. Tenemos que enseñarles y animarlos a buscar el bautismo en el Espíritu Santo; a orar diariamente en inglés, en español y en lenguas [13].

* * *

---

[11] Salmo 139:13-16, La Biblia al Día

[12] Hechos 1:8, Dios Habla Hoy

[13] Hechos 2:4, Biblia de Las Américas

Juan Garza *rompió* su vicio en una semana, pero aún estaba muy irritable. Fácilmente se enojaba y se veía muy desanimado.

—Agradezco todo lo que me has ayudado, Freddie —me informó—, pero no me siento a gusto. Mejor me voy.

—Déjame preguntarte una cosa—. Lo detuve—. ¿Le has pedido a Cristo que te perdone por todos tus pecados?

—Creo que sí—. Titubeó—. Pero no creo que El me escuche a mí.

—Híncate y repite después de mí—lo animé—:

Jesucristo, yo sé que soy un pecador perdido y te pido que me perdones por todos mis pecados. Abro la puerta de mi corazón y te recibo como mi Señor y Salvador.

Juan repitió las palabras lenta y cuidadosamente. Después de un rato, se levantó con una sonrisa:

—Gracias por orar por mí, Freddie.

La mañana siguiente, andaba cantando en voz alta mientras hacía su trabajo.

—¿Cómo te sientes, Juan?—le pregunté.

—*¡De aquella!*—sonrió—. No solamente se me quitó el deseo de la heroína, sino que también el deseo de fumar un cigarro. Me siento tan limpio por dentro que parece que nunca fui *tecato*[q].

—¿Y sabes por qué?—abrí mi Biblia—. Aquí está cómo la Palabra de Dios explica tu cambio: "Al volverse cristiano, uno se convierte en una persona totalmente diferente. Deja de ser el de antes. ¡Surge una nueva vida!"[14]. Eso quiere decir que Cristo Jesús

---

[q] *tecato*: vicioso, drogadicto
[14] 2 Corintios 5:17, La Biblia al Día

te ha hecho una nueva persona, Juan. Te ha dado nuevos deseos, una nueva mente y un nuevo corazón. Ya no eres el de antes.

—¡Gracias a Dios!—alzó sus manos—. ¡Gloria a Dios!

En unos pocos días, Juan Garza recibió el bautismo en el Espíritu Santo.

*   *   *

Cada vez que los muchachos comenzaban a cantarle a Jesucristo se me conmovía el corazón. Estos eran hombres que no habían hecho otra cosa que maldecir y hablar obscenidades, pero ahora cantaban alabanzas a Cristo Jesús.

—Quiero que formes un coro—le dije a Ninfa.

—¿Un coro?—soltó la risa—. ¡Estos muchachos no pueden ni llevar el tono!

—Nada más que canten como lo hacen aquí en la capilla cada mañana—. Yo estaba entusiasmado con la idea.

—Pero yo no sé cómo dirigir un coro—protestó.

—Entonces ¡yo lo hago!—le declaré.

—¿Tú?—exclamó—. Tú no sabes lo más elemental de música.

—Nomás mírame—. Concluí el asunto de una vez por todas. Después de unas cuantas prácticas del "coro", llevé a los muchachos a la iglesia del Pastor Leo Villa. Cuando regresamos, Ninfa estaba esperándonos.

—¿Cómo les fue?—se veía preocupada.

—"Pos", cuando nos entregaron el servicio, llamé al coro a la plataforma. Pero se me olvidó decirles que usaran los escalones de a lado, y brincaron el barandal del altar como si fueran caballos saltando una cerca—. Solté la carcajada.

—¡Oh, no!—Ninfa se cubrió el rostro con las manos.

—De ahí en adelante, lo demás fue fácil—le aseguré—. Voltié y le dije al que estaba tocando la guitarra:

"Dame el tono de Sol". Yo ya había instruido a dos muchachos para que cambiaran de sitio cuando yo dijera "primero y segundo tenor, por favor tomen sus lugares".

—¿De dónde sacaste eso?—Ninfa soltó la risa.

—Cuando era chico, oí a un director de coro decirlo, así que yo lo dije. Pero Ninfa—me puse serio—, cuando los muchachos comenzaron a cantar, Dios los ungió. La presencia del Espíritu Santo llenó todo el lugar. ¡La congregación entera se conmovió hasta el punto de llorar!

—¡Gracias, Señor Jesucristo!—suspiró Ninfa.

—Me hizo pensar en los primeros seguidores de Cristo—continué—. Ellos eran hombres "...sin letras y sin preparación..."[15], pero El los llamó. El los amó. El los *discipuló*[r]. Y yo veo que El está haciendo lo mismo con nuestros muchachos, Ninfa.

—¡Gloria a Dios!—exclamó—. La Biblia dice que "...Dios ha escogido lo necio del mundo, para avergonzar a los sabios..."[16]. ¡Dios no pudo haber escogido un grupo más necio, que nuestros muchachos broncos!

---

[15] Hechos 4:13, Biblia de Las Américas

[r] *discipular*: en el circulo cristiano se usa como verbo, sinónimo de entrenar, enseñar, instruir; formar discípulos

[16] 1 Corintios 1:27, Biblia de Las Américas

Capítulo 8

El Centro Victoria

Si el SEÑOR no edifica la
casa, en vano trabajan los
que la edifican;
Salmo 127:1
Biblia de Las Américas

Los adictos seguían viniendo, y la necesidad de una casa más grande se hizo más urgente. Orábamos diariamente y buscábamos un sitio. Me puse muy contento cuando encontré una casa de dos recámaras, que se rentaba con la opción de comprarla si uno se interesaba más adelante, y solamente estaba a dos kilómetros y medio de nosotros.

Llevé a Ninfa a que la viera. La hierba estaba crecida alrededor de toda la casa. Adentro era un desorden y había manchas de escupitajos en las paredes y en el piso. Mientras que estábamos allí, algunos alacranes y unas cuantas arañas nos pasaron por los pies, haciendo que Ninfa gritara.

—El patio de atrás parece ser el basurero del *barrio*[a]—murmuró—. ¡Mira todos los carros abandonados que han venido a aventar aquí!

—Eso no es problema—le aseguré—. Podemos limpiarlo poco a poco. Lo que me gusta de esta

---

[a] *barrio*: parte o distrito de una población grande. En San Antonio, la parte de la ciudad donde predominan los méxico-americanos

propiedad es que tiene dos *acres*[b] de tierra. ¡Nuestros muchachos pueden salir a respirar!

Decidimos rentarla, y oramos para que si Dios quería que la compráramos, El nos proporcionará el dinero para hacerlo. Con escobas, trapeadores y botes prestados, tallamos y limpiamos. Afuera, entre las hierbas del patio de atrás, encontramos un nido con ocho ratoncitos chillando.

—¡*TINY!*[c]—llamó Ninfa a nuestro muchacho de 1.83 metros de estatura y 136.36 kilos de peso, y le señaló el nido—. ¿Me haces el favor de matarlos?

—¡No-o-o-o-o!—replicó él firmemente—. Dios hizo esas pobres criaturas; yo no las puedo matar.

Antes de haber venido al programa, Tiny había apuñalado a un *relaje*[d] hasta matarlo. Aquí teníamos a todo un asesino transformado por el poder de Jesucristo, incapaz de lastimar a una de las criaturas de Dios.

—¡Mi Dios es real!—me regocijé—. Gloria a Dios.

El primer día, antes de que oscureciera, llamé a todos los muchachos:

—Vamos a alabar al Señor Jesucristo un rato. Luego ungiremos con aceite toda esta casa: las puertas, las ventanas, cada pared, orando para que el Espíritu Santo toque las vidas de aquéllos que han de venir aquí. Vamos todos a poner las manos sobre esta casa y dedicarla al Señor Jesucristo.

—¡Amén!—gritaron los muchachos—. ¡Alabado sea Dios!

---

[b] *dos acres*: aproximadamente 8000 metros cuadrados

[c] ¡*TINY!*: Chico, Chiquilín

[d] *relaje*: un adicto que para salvarse echa de cabeza a sus compañeros con la policía. Soplón, delator

Una semana más tarde pudimos cambiarnos ahí, y legalmente abrir nuestro nuevo Centro Victoria en el 1030 S.W. 39th.Invadimos las calles de San Antonio con volantes donde les hacíamos saber de nuestro nuevo domicilio, y diariamente llegaban adictos nuevos. En un mes, teníamos un total de treinta y cinco hombres viviendo con nosotros.

Algunas mujeres adictas habían llegado también. Ellas dormían con Ninfa y los niños en la recámara más grande, que durante el día se convertía en oficina y cuarto para aconsejar. La recámara más pequeña se usaba para los hombres que venían a *romper*[e] el vicio.

Yo dormía con los muchachos al aire libre. Habíamos limpiado los carros que estaban abandonados en el patio de atrás, y los usábamos como dormitorios. Algunos de nosotros dormíamos en catres o toallas tiradas en la tierra. Todos compartíamos el único baño y excusado. En los días calurosos, los muchachos se bañaban en el patio de atrás con una manguera. Para ellos era mejor que las calles, pero yo anhelaba darles los servicios adecuados.

—Señor Jesucristo, yo sé que los muchachos no se quejan y todo lo soportan—oré—, pero antes de que venga el invierno vamos a tener que construir un dormitorio. Amén.

Por el momento, tenía un asunto que requería mi atención inmediata: nuestros muchachos necesitaban un corte de pelo.

Raider ya había regresado de Los Angeles, California, y estaba en la ciudad de manera que fui a visitarlo. Cuando entré a su peluquería me saludó:

—Oí que te hiciste "Aleluya".

---

[e] *romper*: interrumpir la continuidad del uso de la droga

—Es cierto—le contesté—, y he estado *limpio*[f] desde que Cristo cambió mi vida.

—A mí también me está yendo bien—murmuró Raider, bien drogado por la heroína.

—Necesito un peluquero—le dije—. Tengo treinta y cinco hombres en el Centro Victoria. ¿Qué clase de trato me puedes hacer?

—¿Qué tal si te cobro setenta y cinco centavos por cabeza?—me sugirió—. Puedo ir una vez a la semana todo el día. Y si no tienes el dinero ese día, te lo dejo fiado. ¿Está bueno?

—Gracias, Cristo Jesús—le contesté.

—¡Gracias, Raider!—bromeó.

Cada vez que Raider venía al Centro Victoria, todos los muchachos le hablaban de Cristo mientras les cortaba el pelo. Un día, cuando estaba terminando su trabajo, "Borrado" y "Güero" se ofrecieron a llevarlo a casa. Los tres se subieron al automóvil pero nunca se fueron. Una hora más tarde, Raider entró nuevamente al Centro Victoria, con los ojos enrojecidos de haber llorado pero con una gran sonrisa.

—Acabo de pedirle a Cristo Jesús que entre a mi corazón. Me voy a quedar para que me enseñes de EL.

*　　*　　*

Los prisioneros de la cárcel del condado frecuentemente me pedían que fuera y me presentara en la corte durante sus juicios. Una mañana, al salir de la sala del jurado, me tropecé con un joven de cabello largo; un *chicano*[g] medio hippie que estaba bien drogado.

---

[f] *limpio*: sin drogas en el sistema

[g] *chicano*: persona de ascendencia mexicana nacida en E.E.U.U.

—¿Andas *prendido*[h]?—le pregunté directamente.

Enderezándose y tratando de enfocar sus ojos, balbuceó:—Seguro que sí, *bato*[i].

—Mi nombre es Freddie García. ¿Cuál es el tuyo?

Con una mirada jactanciosa, añadió orgullosamente:

—Juan Miguel Rivera.

—Vamos a tomar *guariche*[j]—le sugerí. De camino al puesto de café le pregunté—: ¿No has oído del Centro Victoria?

Prendió el cigarrillo, le dio una buena fumada, y lentamente me echó el humo en la cara.

—No, nunca he oído del Centro Victoria.

—Es un hogar donde el drogadicto se rehabilita—le expliqué.

Volvió a echarme el humo en la cara, pero antes de que pudiera hablar, lo reté:

—¿Quieres cambiar?

—Dime, ¿es gordo un elefante?—dijo sarcásticamente—. ¿Sabes qué, *bato*? Yo he tratado por voluntad propia y todo lo demás, pero tú sabes cómo es esta cosa.

—Mira, Juan—me encaré con él—, si tú tienes el deseo de cambiar, Jesucristo te puede dar el poder.

—*¡Orale, bato!*[k]—gruñó—. Mi *jefita*[l] siempre me anda hablando de todo eso.

—Pero, ¿lo has calado?—insistí.

—No—movió la cabeza—. No puedo decir que sí.

---

[h] *prendido*: adicto a la heroína
[i] *bato*: hombre
[j] *guariche*: café
[k] *¡Orale, bato!*: ¡No, hombre!
[l] *jefita*: mamá

—Aquí tienes mi tarjeta con el domicilio y el número de teléfono del Centro Victoria—. Dándosela, continué—. Pasa por ahí a conocerlo. Jesucristo realmente puede cambiar tu vida.

Antes del fin de la semana, durante el servicio de capilla, Juan Miguel Rivera entró. El único asiento vacío estaba hasta el frente. Renuentemente fue y se sentó.

—Jesucristo dice: "Vengan a mí los que estén cansados y afligidos y yo los haré descansar"[1]—leí de la Biblia—. Cristo puede venir a romper las ataduras de la drogadicción o de cualquier otra cosa que te esclavice. ¿Hay alguien esta mañana que sienta en su corazón la necesidad de venir a los pies de Jesucristo?

Lentamente, Juan se puso de pie. Se paró exactamente frente a mí con la cabeza agachada, pero cuando le pedí que se hincara, se me quedó viendo con los ojos nublados por la droga. Trabándosele la lengua por la influencia de la heroína murmuró:

—¿Por qué tengo que hincarme? ¿Por qué no puede Jesucristo hacer lo que va a hacer conmigo mientras estoy parado?

Firmemente le puse mi mano en el hombro.

—Para orar por ti, Juan, que Jesucristo venga y se haga real en tu vida.

Se derrumbó al suelo:

—Jesucristo, perdóname por mis pecados y entra en mi vida.

Juan Rivera por fin había llegado a casa.

*   *   *

---

[1] Mateo 11:28, La Biblia al Día

—Lorenzo llamó—les anuncié a los muchachos—. Va a venir a *quebrar*[m].

—¿No es Lorenzo el *relaje*?—indagó Lupe cautelosamente, y cuando lo confirmé, este brincó de su silla.

—Ese *bato* es *relaje*, Freddie. Es un...

—Yo sé lo que es, Lupe. Pero si él le pide al Señor Jesucristo que lo perdone, ¿quiénes somos nosotros para juzgarlo?

Cuando Lorenzo llegó, cada uno de los muchachos del Centro Victoria le dio la ley del hielo por varios días. Nadie se sentaba cerca de él ni le hablaban. Por fin, durante un estudio bíblico, me enfrenté a ellos:

—¿Saben ustedes que Jesucristo nos dice que amemos a nuestros enemigos? ¿Y que debemos de hacer el bien a aquéllos que nos persiguen?

—¿Sabes qué, Freddie? Tú *te sales*[n]—protestó Samuel señalando directamente a Lorenzo—: esta clase de *batos* son fríos. ¡*Relajan* a su propia abuela! No les importa a quién lastimen.

—Pero mira lo que la Biblia nos dice—lo corregí—. Cristo nos enseña que oremos al Padre "...perdona nuestros pecados, así como nosotros perdonamos a los que nos han hecho mal"[2]. Como cristianos debemos aprender a perdonar a aquéllos que nos lastiman, así como Dios nos ha perdonado a nosotros.

Un silencio que pareció durar una eternidad invadió el cuarto. De repente, la silla de Eduardo rechinó contra el piso al empujarla hacia atrás y camino hacia Lorenzo.

---

[m] *quebrar*: romper el vicio
[n] *te sales*: estás fuera de orden
[2] Mateo 6:12, La Biblia al Día

—Me ofrecieron un contrato para matarte—le confesó—y aunque no lo acepté, quiero que me perdones por haberlo pensado.

Uno por uno, todos los muchachos fueron hacia Lorenzo y le pidieron perdón; luego se voltearon a confesarse entre ellos sus ofensas.

—Te robé unos calcetines—le dijo Jaime a Lupe.

—Y yo escondí el jabón para mí solo—admitió Lupe—; por favor, perdóname.

—Yo quiero que me perdones, Freddie—el "Dormilón" se me paró delante con su rostro empapado de lágrimas—. Yo pensaba que todos ustedes eran unos hipócritas, y vine al programa sólo para probarles que estaban mal. Perdóname, por favor.

—Yo te perdono—. Lo abracé.

Raider estaba parado cerca de mí y sentí la moción del Espíritu Santo.

—Raider—, le toqué el hombro—: El otro día, cuando te estacionaste donde yo pongo mi coche y te regañé, lo hice con coraje. ¿Me perdonas?

—Seguro, *bato*—me abrazó—,pero yo también estaba mal. Yo sabía las reglas. Perdóname tú también.

Por todo el cuarto los muchachos se abrazaban y lloraban.

—Gracias, Señor Jesucristo, por la convicción poderosa de tu Santo Espíritu—oré—. Gracias por quebrar nuestros corazones endurecidos y darnos la capacidad para perdonarnos los unos a los otros.

*　　*　　*

Cada mañana, después del desayuno y de haber terminado nuestros trabajos, nos juntábamos para orar de las 10:00 a las 10:30 A.M., y luego teníamos el servicio de capilla hasta el mediodía. Inmediatamente después de la comida, teníamos nuestros estudios bíblicos todos los días. Una tarde, estaba enseñando acerca de la oración, cuando uno de los muchachos más nuevos preguntó:

—¿Y cómo oras, Freddie? Quiero decir, ¿qué es lo que dices?

—Oración es otra palabra que significa comunicación—le expliqué—. Dios simplemente quiere que hables con El, lo que tú sientes en tu corazón. Dile cómo es la cosa; no le mientas. Háblale de tus dudas, tus temores, tus problemas; Dios entiende. Y no te sorprendas cuando te conteste, porque lo va a hacer. Puede ser por medio de un canto, un testimonio, una predicación o enseñanza; por medio de su Palabra conforme la lees, o puede ser aquella suave voz dentro de tu corazón. Pero yo te lo garantizo: va a contestarte.

—Danos un ejemplo—gritó Ernesto y todos los muchachos aplaudieron.

—Bueno...—pensé rápidamente—: Tenemos tres pavos en el congelador, pero necesitamos por lo menos otro para que alcance la comida para todos. Oremos, ahora mismo, para que Dios nos proporcione el otro pavo, en el nombre de Nuestro Señor Jesucristo, porque estoy seguro de que no tenemos el dinero para comprarlo.

—¡Amén!—convinieron todos. Después de haber orado, continué con la lección. Nuestra clase ya estaba a punto de terminarse cuando entró un joven.

—Hola—saludó—. ¿Quieren un pavo, Freddie?

Se me puso la carne de gallina y me ataqué de risa cuando vi que traía un pavo en la mano.

—¡Gracias, Señor Jesucristo!—grité—. ¿Nos vendría bien un pavo, muchachos?

Varios muchachos se me quedaron viendo, pálidos y sin hablar. Sin embargo, los muchachos que ya tenían tiempo con nosotros estaban acostumbrados a ver milagros; ellos chiflaron, aplaudieron y alabaron a Cristo Jesús. En seguida se les unió el resto y dieron gracias a Dios. El joven había observado la escena azorado y le expliqué que Cristo lo había usado para respondernos la oración.

—Me alegro—me estrechó la mano—. He estado queriendo venir a verte desde hace tiempo. ¿No te acuerdas de mí, Freddie?

—No—traté de acordarme—. ¿Dónde nos conocimos?

—Soy Polo. Estuvimos juntos en la primaria. De adolescentes tú eras de la pandilla de la calle Austin. Una noche, cuando andaban ustedes bien drogados, uno de los miembros me apuntó con una pistola y tú le dijiste que me disparara. Como él no quería hacerlo, le dijiste:

"¡Dame la pistola, yo le disparo!" A duras penas me escapé. ¡Hombre! ¡Estaban ustedes bien locos!

—¿Eras tú, Polo?—me comencé a reír—. Seguro que me acuerdo, y le doy gracias al Señor Jesucristo por haberme cambiado.

Esa noche le di gracias a Dios, una vez más, por el milagro tan grande que había hecho en mi vida:

—¿Dónde estaría ahora, Señor Jesucristo, si Usted no me hubiera extendido su mano? ¿Dónde estaríamos todos nosotros, Señor Jesucristo, sin su misericordia? Eramos aquéllos que la sociedad rechazó; hombres sin iniciativa ni propósito. Pero por el poder de su amor, Usted nos ha rescatado de debajo de los puentes, de las prisiones, de las calles, del arroyo. De todos los puntos de la vida Usted nos ha llamado. Hemos llegado sucios y malgastados, con mentes torcidas y cuerpos quebrantados, y por medio de la sangre que Usted derramó en el Calvario, Usted nos ha libertado, y nos ha llenado de una nueva esperanza, y del fuego del Espíritu Santo. Gracias, Señor Jesucristo—oré—, y ayúdeme, Señor, a dirigir a estos muchachos por el buen camino. Ayúdeme a enseñarles a amarlo y honrarlo todo el resto de sus vidas, y que aprendan a buscar, "primero su reino"[3]y su justicia. En el nombre de Nuestro Señor Jesucristo. Amén.

Al día siguiente, durante el estudio bíblico, les dije a los muchachos:

—Dios es digno de toda confianza, y como sus hijos, nosotros debemos aprender a ser dignos de confianza también. Es por eso que les exijo puntualidad en la oración, en la capilla y en los estudios bíblicos. Jesús dijo: "Yo soy... la Verdad..."[4] y como parte de la familia de Dios, debemos hablar y vivir la verdad. Si tú dices que vas a estar en un sitio a las 3:00 P.M., no llegues a las 3:01. Aprende a glorificar a Dios con tu puntualidad, a ser digno de confianza. Hubo un tiempo en nuestras vidas, que todos éramos irresponsables, indisciplinados, desorganizados y una vergüenza para la sociedad, ¡pero ya no! "Al volverse

---

[3] Mateo 6:33, Biblia de Las Américas
[4] Juan 14:6, La Biblia al Día

cristiano, uno se convierte en una persona totalmente diferente. Deja de ser el de antes. ¡Surge una nueva vida!"[5]

Los muchachos rugieron con aprobación:

—¡Gracias, Señor Jesucristo!

Aplaudieron y me animaron a continuar. Cuando se hizo el silencio, proseguí:

—Cristo nos ha limpiado por dentro, y esa limpieza debe manifestarse por fuera. ¿Recuerdan cuando querían verse guapos para alguna chavala? ¡Cómo boleaban sus zapatos hasta que brillaban! ¡Y cómo se embarraban el cabello! Pos ahora ustedes trabajan para el Señor de Señores y Rey de Reyes, y deben presentarse lo mejor que puedan. Quizás no tengan un traje nuevo, pero procuren que la ropa que usen siempre esté bien lavada y planchada.

—Sí, amén—gritaron.

—Lo mismo con esta casa—añadí—. No es una casa elegante; todo es de segunda, pero todo le pertenece a Dios. Es por eso que limpiamos todos los cuartos, hasta dos veces al día; por eso siempre está alguien listo, con una escoba o trapeador, para cuando se ensucie el piso, rápidamente limpiarlo. El Espíritu Santo está cambiando vidas y haciendo milagros diariamente en esta casita; y ¡es por eso que debemos esforzarnos para que esté limpia todo el tiempo!

—¡Hay poder en el nombre de Cristo!—la clase se deshizo en alabanzas al Señor Jesucristo—. ¡El es digno de ser ensalzado!

La limpieza no era lo más popular en nuestra rutina, pero era un ingrediente esencial de la disciplina. Cuando algún muchacho violaba una de las reglas,

---

[5] 2 Corintios 5:17, La Biblia al Día

se le asignaba limpiar los excusados, lavar los trastes, limpiar las ventanas o limpiar el patio por una semana, o más tiempo si la ofensa era seria. Las quejas extendían automáticamente la duración de la disciplina.

—*Híjole, bato*,[ñ] esto está peor que el campo militar— bromeaban los muchachos—. *Se salen*.

—Qué curioso—respondí—. Algunos de ustedes han estado cinco, diez y hasta quince años en prisión, pizcando algodón bajo el ardiente sol por causa del diablo. Pero cuando se trata de ser disciplinados como parte del entrenamiento para el servicio del Señor Jesucristo, comienzan a llorar o quieren rajarse.

—Seguro que esto es como un campo militar— continué—. No es un parque deportivo. Estamos en el ejército del Señor Jesucristo; si no hay disciplina, no se tiene un ejército, tienes un tumulto desenfrenado. Nuestro horario y reglas quizás te parezcan muy estrictas al principio, pero están para ayudarte a desarrollar el carácter cristiano en tu vida.

La oración era el corazón de toda nuestra disciplina.

—Esto funciona de dos formas—les dije a los muchachos—: la oración nos da el poder para vivir una vida disciplinada, y la disciplina exterior fortalece nuestra vida de oración.

La oración era lo primero que les inculcaba a los muchachos que iban llegando. Entre más tiempo pasaban orando, se les hacía más fácil vivir de acuerdo con la Sagrada Escritura; nada se hacía sin oración.

—Cuando andan por ahí en las calles, en las escuelas o en las prisiones testificando de Cristo, andan en la zona de combate. Le andan haciendo la guerra al mismo Satanás, arrebatándole las almas—los

---

[ñ] *Híjole, bato*: Caramba, hombre

orienté—. El poder para librar al hombre pertenece sólo al Señor Jesucristo, y El dice: "...sin mí no pueden ustedes hacer nada"[6]. No tenemos nada qué hacer allá afuera, sin primero tener un tiempo de oración.

Durante el día, y algunas veces hasta altas horas de la noche, se juntaban grupos pequeños de muchachos para orar. Podíamos escuchar sus voces que subían y bajaban, orando tanto en inglés y en español como en lenguas. Mientras que algunos de nosotros andábamos afuera testificando, otros se quedaban en casa orando; sentía uno fuerza de saber que ellos estaban librando una batalla espiritual por nosotros.

Al caer la tarde, me llevaba a los muchachos a los servicios de las iglesias locales, y frecuentemente, Ninfa se quedaba en la casa sola con nuestros niños preparando la cena. Una tarde me dijo:

—Cuando la puerta del patio de atrás se queda abierta después de que oscurece, hay veces que siento un temor helado, como si hubiera alguien allá afuera.

Me eché a reír con lo que dijo, pero cuando lo compartí con los muchachos, ellos también confesaron haber sentido una presencia extraña. Habíamos consagrado la casa a Dios, pero aún no habíamos consagrado los *dos acres*[o] de tierra. Yo sabía que esa propiedad se había usado antes como *conexión*[p] de drogas. El mal había reinado.

—¡Vamos a reclamar cada centímetro de este terreno para Cristo!—reté a los muchachos—. La

---

[6] Juan 15:5, Dios Habla Hoy
[o] *dos acres*: aproximadamente 8000 metros cuadrados
[p] *conexión*: sitio o persona que vende drogas

Sagrada Escritura nos dice: "...No nos ha dado Dios espíritu de cobardía, sino de poder... y de dominio propio"[7]. De modo que, ahora a caminar hacia esa oscuridad en el nombre de Cristo y a orar, hasta que su Presencia sature todo este lugar.

Los muchachos muy animados, chiflaron y formaron un equipo de oración y se dirigieron hacia el patio de atrás. Cayendo de rodillas, comenzaron a alabar el nombre de Cristo Jesús, en inglés, en español y en lenguas. Noche tras noche se adentraban un poco más. En pocos días, nosotros podíamos abrir las ventanas de la casa muy de noche, y escuchar sus voces resonar con cánticos de alabanzas y en oración al Señor Jesucristo por todos los *dos acres* de tierra.

Una de esas noches, Ninfa exclamó asombrada:

—¡El temor ha desaparecido! Se puede sentir la presencia de Dios, rodeándonos. Se siente como si toda el área fuera un santuario.

—¡Alábenle!—grité por la ventana hacia la oscuridad de la noche y desde afuera, algunos de los muchachos respondieron:

—¡Gloria a Cristo! ¡Aleluya! ¡Hay poder en el nombre de Cristo Jesús!

Unos días después, Manuel Zertuche, Juan Rivera, Juan Garza y José Luis Flores, se me acercaron:

—Varios muchachos quieren turnarse para ayunar y orar, de modo que haya una cadena continua de oración las 24 horas del día. Ya tenemos una lista de voluntarios. Durante la noche, los muchachos que terminen su turno, despertarán al grupo siguiente de la lista y así sucesivamente. No va haber ningún momento en que no se esté orando en este lugar.

---

[7] 2 Timoteo 1:7, Biblia de Las Américas

—¡Gracias, Señor Jesucristo!—alcé mis manos al cielo—. Vamos a hacerlo.

Nuestro entusiasmo aumentaba día tras día. En la parte del techo de la casa que daba a la calle, los muchachos pusieron un letrero: "Espera un Milagro". Uno podía caminar por los *dos acres* y sentir la presencia del Señor. Hasta los extraños lo sentían con sólo cruzar la puerta de la cerca.

Un día estábamos celebrando nuestro servicio de capilla en la sala. Algunos ex-adictos estaban apretujados en las angostas bancas y sillas, y otros estaban parados junto a la pared, por las ventanas abiertas y por las puertas. Ninfa tocaba el piano y nosotros cantábamos cuando Raider divisó al cartero cruzando la puerta de la calle. Apenas había puesto un pie dentro de la propiedad cuando cayó de rodillas. Manuel Zertuche, Juan Rivera y Raider, adelantándose a los otros, corrieron a él.

—¿Quieres arrepentirte de tus pecados y aceptar a Cristo cómo tu Salvador?—le preguntó Raider.

—Sí, sí—contestó entre sollozos.

Mientras oraban con él, llegó un evangelista en su coche. Tan pronto como puso pie en el patio de enfrente y miró lo que estaba pasando, comenzó a brincar y a gritar en alta voz:

—Esta es tierra santa! ¡Esta es tierra santa!

Ya para entonces todos los muchachos habían salido de la capilla, y uniéndose a él, comenzaron también a brincar y a gritar:

—¡Esta es tierra santa! ¡Hay poder en el nombre de Jesucristo!

El cartero sacó una cajetilla de cigarros de la bolsa de su camisa y se la entregó a Raider.

—Dame uno de esos cigarrillos—gritó Juan Rivera y los muchachos le hicieron eco:

—¡Sí, deme uno a mí también!

—"El botín de guerra" fue pasando de mano en mano y todos los muchachos pronto los despedazaron. Aún brincando continuaron gritando:

—¡Aleluya! ¡Hay poder en la sangre de Cristo!

El cartero se les unió y después de mucho regocijo, por fin continuó su camino calle abajo con una gran sonrisa en su rostro y el amor de Dios en su corazón.

En otra ocasión, mientras estábamos en capilla, la abuelita de Juan Rivera llegó durante el servicio de alabanza. Inmediatamente cayó de rodillas. Oramos con ella y entregó su vida a Cristo. Después nos platicó lo que le había sucedido:

—Cuando entré al cuarto donde ustedes oraban y alababan a Dios, vi a unos angeles parados en las esquinas, y supe inmediatamente que Dios estaba aquí.

Tales milagros acontecían diariamente y la fe y la confianza de nuestros muchachos aumentaba con cada uno. Se iban a las calles a testificar de Cristo y cuando la camioneta regresaba, parecía como la vuelta de un equipo de futbolistas después de haber ganado un juego. Hablaban de adictos cayendo de rodillas en las calles y le pedían a Cristo que entrara en sus vidas. A veces, el nuevo converso regresaba a casa con ellos a *romper* su vicio.

Todavía estábamos viviendo con mucha estrechez; los gabinetes de la cocina seguían tan vacíos como cuando empezamos en nuestra casita de la calle Norte San Eduardo. Pero los muchachos estaban seguros de que Dios iba a satisfacer cada necesidad.

En la pared de la oficina pusimos una lista de peticiones para llevar en oración. Necesitábamos pagar la renta, el agua, la luz y el gas. También necesitábamos comprar la despensa, ropa y hacer algunas reparaciones. A veces la gente llegaba con dinero; otras veces traían exactamente las cosas por las que habíamos orado u ofrecían sus servicios.

Una mañana, Ninfa me dijo que se estaba acabando el azúcar. Lo puse en la lista y en pocos días, entró una señora a nuestra sala.

—Perdonen, ¿les servirán unos 45 kilos de azúcar?

Antes de que Ninfa tuviera tiempo de contestarle, la señora continuó:

—Yo trabajo en un restaurante, y el otro día, el proveedor trajo una bolsa de azúcar que estaba un poco rota. El dueño no la quiso comprar y el chofer me dijo que me la vendía por un par de dólares. Como yo ya había escuchado de su ministerio, me animé y se la compré. Ninfa sonrió y le dijo a la señora:

—Hemos estado orando porque necesitábamos azúcar, y el Señor Jesucristo la ha usado como medio para proporcionarla.

Ahora fue nuestra visitante la que se regocijó.

—¡Gloria a Dios!—exclamó—. Estoy tan agradecida de que Dios haya podido usar mi vida para bendecirlos.

Una mañana, acabando de terminar el servicio de capilla, un joven entró a la oficina.

—Mi nombre es Rogelio, Freddie—. Me apretó la mano sonriendo—. Mi hermano Tomás está en tu programa. ¿Me permites darle un par de zapatos que le compré?

—Seguro—le sonreí—. Déjame llamarlo.

Unos minutos después, Tomás entró a la oficina y Juan Rivera detrás de él. Cuando Tomás recibió la caja de zapatos, a Juan se le salían los ojos.

—¡Gracias, Cristo Jesús!—Tomás levantó sus zapatos nuevecitos para enseñárselos a todos—. ¡Es exactamente lo que le pedí al Señor Jesucristo!

Más tarde, Juan Rivera nos confesó:

—Estaba yo hincado junto a Tomás cuando él oró por esos zapatos. Pero lo que me *sacó de onda*[q], fue que Tomás le pidió al Señor Jesucristo un par de zapatos de la marca "Stacy Adams" color mandarina— Juan meneó la cabeza—. Yo estaba seguro de que Tomás se estaba exponiendo a una decepción, pero cuando vi la caja de zapatos de la marca "Stacy Adams", supe que iban a ser de color mandarina.

Cuando el resto de los muchachos oyó lo que había pasado, casi tumbaron el techo de la casa con sus cánticos de alabanza.

Todos estábamos emocionados de ver cómo Dios nos daba lo que le pedíamos, pero una vez más les recordé a los muchachos que se suponía que nuestras oraciones eran primero que nada, para acercarnos a la presencia de Dios.

—"Buscad primero su reino y su justicia"[8],—les dije—. Justicia significa vivir una vida recta, una vida de santidad y de compromiso ante Dios. Cuando hagamos esto, El nos dará todo aquello que necesitemos.

Comenzaron a alabar a Dios, pero los calmé:

—Escuchen bien lo que les acabo de decir: El te da lo que necesitas, no siempre lo que quieres. Puede ser que egoístamente le estés pidiendo un Cadillac, cuando lo que necesitas es pedirle que te enseñe a amar a tu prójimo. Sirve y honra a Dios, porque El es Dios y no

[q] *sacó de onda*: me sorprendió

[8] Mateo 6:33, Biblia de Las Américas

porque estés interesado en las cosas materiales que El te pueda dar.

Ellos entendieron pero todavía eran tan exhuberantes como los niños cada vez que veían una oración contestada.

Orábamos por las necesidades prácticas del ministerio, pero principalmente orábamos por las almas aún esclavizadas. Algunas veces durante la oración, la presencia del Espíritu Santo era tan fuerte, que cualquier persona que estuviera poseída por algún demonio, era liberada.

La homosexualidad era rara entre los que entraban a nuestro programa, pero aquéllos que llegaban y se quedaban, eran libertados de su desviación sexual cuando aceptaban a Cristo Jesús. Cristóbal fue uno de los homosexuales que buscó ayuda en el Centro Victoria. Cuando él entró al programa le expliqué:

—La homosexualidad no es tu problema. Tu problema es el pecado. Cuando tú le pidas a Jesucristo que te perdone por todos tus pecados, te va a liberar de la esclavitud de la sexualidad anormal.

Comenzamos a ayunar y a orar, para que Dios manifestara su poder en este joven. Una mañana, mientras orábamos y alabábamos al Señor Jesucristo durante el servicio de capilla, oímos un grito escalofriante, y sentimos la presencia de algo diabólico. Ahí, en el piso, estaba tirado Cristóbal, escupiendo y maldiciéndonos. Sus ojos brillaban enrojecidos a través de sus párpados semicerrados. Unos de los muchachos se hicieron para atrás de un salto y les dije:

—Si alguno de ustedes no está orando como debe o tiene miedo, por favor no se quede. Salga del cuarto. Los demás, únanse alrededor de Cristóbal y oremos.

Unos pocos se retiraron mientras que el resto de nosotros comenzamos a orar en español, en inglés y en lenguas. Cristóbal se lanzó sobre algunos de nosotros, con los dedos como si fueran garras, e intentó morder una de las Biblias. Le impusimos las manos y le dije:

—Escúchame, Cristóbal. Voy a orar por ti, y mientras yo esté orando, tú pídele a Cristo que te perdone por todos tus pecados.

En seguida me dirigí al demonio que estaba dentro de él:

—Espíritu inmundo, te ordeno en el nombre de Jesús de Nazaret, que salgas fuera de él.

Cristóbal se fue aflojando y nosotros lo sostuvimos en pie.

Sus ojos estaban claros y se enderezó de hombros. Le levanté las manos y le dije:

—Alaba al Señor Jesucristo por haberte librado, Cristóbal, alábalo—lo instruí—. El comenzó a caminar por el cuarto con las manos levantadas, alabando a Dios. La evidencia de su liberación era visible para todos. ¡Su andar ya no era afeminado! Los muchachos comenzaron a danzar y a gritar:

—¡Gloria a Dios! ¡Gracias, Cristo Jesús! ¡Hay poder en la sangre de Cristo! ¡A su nombre, Gloria!

*   *   *

—Renté el auditorio de la secundaria "Lanier", Ninfa—entré a nuestra recámara todo emocionado—. Vamos a tener una gran cruzada en la ciudad, y ¡nuestro coro va a cantar!

—Pero, Freddie—Ninfa se veía preocupada—, nuestros muchachos no cantan realmente bien ¿recuerdas?

—¡San Antonio jamás ha visto un drogadicto

curado!—señalé—; mucho menos un "coro de ex-drogadictos". La gente de nuestro *barrio* necesita saber que Jesucristo todavía está en el negocio de hacer milagros—. Ninfa no dijo nada y yo la apresuré—: Tú diriges el coro y yo me encargo de la literatura y la publicidad.

Parecía como que quería protestar pero en vez de eso, levantó las manos y se atacó de risa.

—¡Ahí vamos, otra vez!

—Mira, Ninfa—le aseguré—, tú sabes de música y ellos tienen confianza contigo. Van a cantar lo mejor que puedan, y Dios va a ser glorificado.

Yo estaba muy entusiasmado. La radio y la televisión anunciaron nuestro evento que ya estaba muy próximo. Nuestros muchachos oraban continuamente, y el coro, bajo la dirección de Ninfa, se oía muy bien. Por fin llegó el gran día. Todos estábamos un poco nerviosos detrás del escenario pues nunca antes habíamos tenido ninguna cruzada.

Cuando las puertas del auditorio se abrieron, Ninfa y yo nos asomamos por las cortinas.

—Mira la cantidad de gente, Freddie. ¡Deben de haber venido en varios camiones!

El auditorio tenía una capacidad para 1200 personas, pero para asombro nuestro, estaba repleto. Había gente recargada en las paredes, y los jóvenes estaban sentados en el suelo de los pasillos del auditorio. Antes de que subiera la cortina, nos tomamos de las manos y oramos. El padre Renfro, sacerdote de la Iglesia Católica, dio la bienvenida y la invocación. Luego nos presentó y Ninfa se dirigió al piano, mientras que el coro, de camisas blancas y pantalones oscuros, tomó su lugar en el escenario.

Desde el primer himno hasta el último, sus voces

pusieron en alto el nombre de Jesucristo. Concluyeron cantando "Sin Cristo nada sería; sin El, seguramente fracasaría." lo cantaron una vez y luego tararearon la melodía suavemente, mientras dos de los muchachos pasaron al micrófono y contaron la historia de cómo fueron librados de la drogadicción. Sollozaron mientras hablaban y no hubo ojos que permanecieran secos en esa audiencia. Jamás en la historia de San Antonio se había visto algo similar.

Mi sermón se titulaba "La paga del pecado". Cuando concluí, cómo 300 jóvenes aceptaron al Señor Jesucristo como su Salvador.

De camino a la casa le dije a Ninfa:

—¿Te das cuenta de que la única presentación pública que nuestros muchachos habían tenido antes fue en la corte, cuando tuvieron que comparecer ante un juez y un jurado?—nos reímos los dos y le dimos gracias a Nuestro Señor Jesucristo por lo que había sucedido esa noche.

Estábamos agotados, y al llegar a la casa me fui derechito a la cama. Cuando me quité los zapatos Ninfa exclamó:

—¿Quieres decirme que te fuiste y te paraste en el escenario de mucho traje nuevo y corbata, y sin calcetines?

Solté la carcajada.

—¡Y tampoco traigo ropa interior! No encontré nada limpio en mis cajones, y realmente no tuve tiempo de irme a comprar nada nuevo.

—¡Estas insinuando que es mi culpa?—Se puso a la defensiva.

—No—suspiré—. Yo no estoy insinuando nada. Estoy muy cansado, Ninfa; mejor vamos a dormirnos.

En un repentino arranque de ira, Ninfa gritó:

—¿Por qué no me dijiste que necesitabas calcetines limpios, en lugar de hacerme sentir culpable?

Ya también irritado contesté:

—¡Yo no tengo que decirte nada! Eres bastante grandecita para saber que tu responsabilidad es tener mi ropa lista.

Ninfa estaba furiosa.

—¿Y se te ha ocurrido pensar por qué no está limpia?—gritó—. Fíjate en todos los trabajos que me pones a hacer. Y todavía, en vez de tener una poca de consideración, me reprendes.

Esto ya fue el colmo. Me levanté de la cama y enojado le grité:

—¿Quieres discutir sobre consideración? ¿Cuándo has oído que me queje de las muchas veces que he usado la misma camisa por días? Y cuando se trata de desayuno, comida o cena, parece que me casé con el puesto de tacos de enfrente, no con una esposa. Nunca estás aquí, Ninfa. Ni para mí ni para nuestros hijos. Siempre andas muy ocupada yendo y viniendo ayudando a alguien más.

Ninguno de los dos dijo una palabra más. Nos acostamos dándonos la espalda.

—*¿Qué estamos haciendo mal?*—imploré en oración—. *¿Por qué nos estamos distanciando?*

A la mañana siguiente, durante el servicio de capilla, Ninfa y yo nos pedimos perdón. Después buscamos un tiempo para hablar.

—¿Qué nos está pasando, Freddie?—los ojos de Ninfa se llenaron de lágrimas—. Cuando nos acabábamos de hacer cristianos, las cosas iban muy bien. Ultimamente lo único que hacemos es contradecirnos, y ahora estamos comenzando a pelear.

—Yo sé—la acerqué a mí y le sequé las lágrimas—. Y no tengo ninguna respuesta. Los dos necesitamos buscar al Señor Jesucristo y pedirle que nos enseñe lo que estamos haciendo mal. Yo te amo mucho, Ninfa, y me preocupa lo que está pasando en nuestro matrimonio. Yo no quiero perder los mejores años de mi vida peleando contigo. Dios está usando nuestras vidas, y éste debería ser un tiempo feliz para ti y para mí.

Nos abrazamos con el propósito de orar y de buscar en la Palabra de Dios la respuesta a nuestro problema.

Capítulo 9

El Templo Victoria

Y sobre esta roca edificaré mi iglesia,
y los poderes del infierno no
prevalecerán contra ella.

Mateo 16:18b
La Biblia al Día

—¿Una que?—exclamó Ninfa casi ahogándose con la *enchilada*[a] que estaba comiéndose.

—¡Shhh! Estamos en un restaurante—le recordé. Calmadamente le repetí—: Siento en mi corazón que Dios quiere que pastoree una iglesia, y lo voy a hacer.

—¡Oh, no!—protestó—. ¡Yo no puedo ser una esposa de pastor! Me encanta cocinarles y lavarles a todos los muchachos, pero hasta allí llego. ¿Yo? ¿esposa de pastor? ¡Olvídalo, Freddie! Ni hablo, ni parezco, ni me siento como una de ellas. Esta vez, Freddie, no cuentas conmigo.

—¿Y cómo crees que yo me siento, Ninfa?—traté de razonar con ella—. Yo no sé cómo ser pastor; ¡pero soy lo único que tienen! No podemos ignorar la necesidad que existe. Los muchachos que aceptan a Cristo, después de terminar el programa, regresan a sus hogares y empiezan a vagar de iglesia en iglesia. Les he dicho una y otra vez lo importante que es hacerse miembro de una iglesia, ¡pero no lo hacen!

---

[a] *enchilada*: tortilla de maíz, rellena de pollo, carne o queso, generalmente, y bañada de salsa a base de tomates y chile

En nuestro programa aprenden a depender de la Palabra de Dios, pero es de igual importancia que se hagan miembros responsables de una iglesia también. Si no hay compromiso, no hay responsabilidad; ni para con Dios, ni para con nadie más. Al poco tiempo van a comenzar a desobligarse de todo y pueden hasta acabar en las calles de nuevo.

—Sé que lo que dices es cierto—admitió Ninfa—, pero...

No la dejé terminar:

—Piensa qué difícil ha de ser para un cristiano nuevo, volver a casa a un compañero incrédulo. El cristiano desea ir a un grupo de oración, a la vez que su compañero lo considera aburrido y desea ir a otro lugar. Este problema no se va a solucionar hasta que toda la familia llegue a conocer a Cristo como su Salvador. ¿Y cómo alcanzaremos a todos?—concluí— ¡Por medio de la iglesia! Necesitamos una iglesia en la comunidad, que alcance no solamente al drogadicto, sino también a toda su familia. Es decir, sus niños y todos los demás, incluyendo amistades y vecinos.

—Aún no puedo imaginarme como esposa de pastor—Ninfa suspiró y luego sonrió—. Pero en el nombre de nuestro Señor Jesucristo, vamos a lanzarnos una vez más.

Inmediatamente comenzamos a buscar un sitio por la calle Guadalupe, donde pudiéramos tener nuestros servicios de iglesia. Buscábamos día tras día, subiendo por un lado de la calle y bajando por el otro, a ver si encontrábamos algún edificio vacío.

—¿Por qué no buscamos en otro lugar?—Ninfa ya estaba fatigada—. Aquí no hay nada más que cantinas. —Aquí es donde está la necesidad—le expliqué—. Este es el territorio de Satanás. Además, económicamente, es todo lo que podemos pagar.

—¡Amén!—Ninfa se echó a reír—. ¡Eso sí que es muy cierto!

Por fin, un día vimos que alguien desocupaba un almacén. Nos detuvimos y nos presentamos:

—Vimos que se anda cambiando—inicié la plática—. ¿Van a rentar el edificio?

El Señor no contestó sino que se dio media vuelta y entró al almacén. Ambos lo seguimos. El cuarto era grande y estaba oscuro y sofocante y tenía dos ventanas y una puerta hacia atrás.

—Soy un ministro—traté de impresionarlo—. Trabajo con los drogadictos y sus familias.

—¿Para qué quieres usar este lugar?¿Para trabajar con los drogadictos?—Se veía preocupado.

—¡No! ¡No!—le aseguré—. Su edificio se usará como iglesia.

Habiéndole dado un vistazo al cuarto, Ninfa le preguntó al señor:

—¿Era esto antes una iglesia?

—No, señora—sonrió—. Este lugar era conocido como la cantina "Las Aguilas". ¿Por qué lo pregunta?

—Yo pensé que esta sección era donde iba el altar— Ninfa señaló una pequeña plataforma.

—No, señora—el señor se echó a reír—. Allí era donde tocaba el conjunto musical.

Todos soltamos la risa y eso contribuyó a romper el hielo. El señor se llamaba Julio y nos escuchó pacientemente mientras le hablábamos de Cristo. Quedamos en qué después de que él lo pensara nos haría saber si nos rentaba el edificio o no. En cuanto llegamos a la casa les contamos a los muchachos y se unieron a nosotros a orar para que Dios pusiera en el corazón de Julio una respuesta afirmativa.

A los cuantos días llamó:

—Señor García, deme una semana para componer los baños y luego se pueden cambiar.

—¡Gracias, Señor Jesucristo!—grité al colgar el teléfono—. Háblales a todos los muchachos—le dije a Juan Rivera—, se nos hizo lo del edificio.

—¡Gloria a Dios!—gritaron emocionados—. ¡Gracias, Señor Jesucristo!

—Va a necesitar algunas reparaciones—les expliqué cuando se aplacaron—, y esto es lo que vamos a hacer. Dios le ha dado diferentes talentos a cada uno. Algunos de ustedes son carpinteros, electricistas o pintores. Esta es su iglesia y necesita su talento ahora mismo, y por todo el tiempo que sean miembros de ella.

Trabajaron vigorosamente casi un mes entero, limpiando, reparando y pintando. Dos muchachos levantaron una pared para separar la entrada. Samuel sabía instalar alfombras. Fue a varias compañías y les pidió retazos de alfombras, luego vino y cubrió la sección del altar con un hermoso trabajo de parches de diferentes colores y tamaños. Manuel Zertuche hizo un púlpito en forma de cruz.

Detrás del edificio había una pequeña casa que rentamos por veinticinco dólares al mes. Allí tendríamos la iglesita de los niños. Varios de los muchachos se ofrecieron de voluntarios para construir banquitas para los niños y decorar los pequeños cuartos con diferentes colores de las pinturas que les habían donado. Mientras todos trabajábamos para tener la iglesia lista, Lee, un ex-alcohólico, fue elegido como "el cocinero" para toda la tropa de trabajadores.

Una noche pasé por la calle Guadalupe para ir a

ver cómo les iba a los muchachos que todavía estaban trabajando en la iglesia. De las sinfonolas de las cantinas salía la música de conjunto a todo volumen. Los letreros luminosos anunciaban las diferentes cantinas y salones de baile. No pude evitar notar el contraste con nuestra iglesia que tenía una simple fachada de almacén y una sola bombilla eléctrica en la puerta. Sentí que la rabia me subía por dentro:

—¡Dios merece lo mejor!—me dije a mí mismo—. ¡Deja que el diablo tenga las sobras!

Cuando llegué a la iglesia compartí mi idea con los muchachos:

—Vamos a poner unas bocinas afuera para que todos los que pasen por aquí puedan oír las predicaciones y las alabanzas a Dios. Además, voy a ordenar un anuncio grande y luminoso de neón para afuera que diga "Templo Victoria".

Los muchachos me animaron y continué:

—Vamos a poner una sinfonola cerca de la entrada para que la gente la vea desde la calle. Va a tocar canciones en inglés y en español. ¡La única diferencia es que esta sinfonola "convertida" no va a tocar otra cosa que cantos cristianos! Al otro lado de la entrada, también visible desde la calle, vamos a poner una pequeña barra con bancos: una barra "convertida". Cuando no tengamos servicio de iglesia, vamos a usar la barra para dar café o té con galletas o pan a todo el que llegue. Y podemos hablarles de Cristo.

El Día de las Madres tuvimos nuestro primer servicio de adoración. El edificio estaba lleno de exdrogadictos y sus familias.

—Esta iglesia es un regalo perfecto para el Día de las Madres—hablé desde el púlpito—. Casi cada día recibo una llamada de alguna madre que dice:

"¿Puede ayudar a mi hija? Anda en las calles";
"¿puede ayudar a mi hijo? Es drogadicto".

¡Hoy, Dios ha contestado sus oraciones y ha abierto
las puertas de esta iglesia donde sus hijos e hijas
pueden ser alcanzados por el Evangelio de nuestro
Señor Jesucristo!

Un domingo por la mañana, antes de que diera
principio el servicio de adoración, llegó mi mamá al
Templo Victoria. Mi sobrina Isabel, una mujer
cristiana, la había invitado a venir. Directamente
detrás de ellas entraron dieciséis cristianos anglo-
americanos que habían venido de otras ciudades a
alabar a Dios con nosotros. Mamá había visitado la
iglesia antes, pero aún no había aceptado a Cristo
como a su Salvador.

—¡Oh, Señor Jesucristo!—oré—. Tengo un
problema. Si predico en español por el bien de mi
madre, nuestros hermanos de habla inglesa no van a
recibir. Mas si hablo en inglés por ellos, Señor, mi
mamá no va a entender el mensaje de salvación. Por
favor, dígame qué hago.

El servicio dio principio y al momento que me
preparaba para hablar, sentí la indicación del Espíritu
Santo de que debía predicar en inglés. Obedecí, y para
mi sorpresa, después de mi sermón, mamá estaba
entre las personas que pasaron al frente y se hincó
en el altar.

Vi lágrimas brotar de sus ojos y me apresuré a llegar
hasta donde estaba. Le puse mi mano sobre la cabeza
y le aconsejé al oído:

—Pídele al Señor Jesucristo que te perdone por tus
pecados, mamá.

Se mantuvo en el altar orando y derramando sus
lágrimas silenciosamente. Después la conduje hacia
la plataforma:

—¿Cómo te sientes, mamá?

Con su rostro empapado en lágrimas, tímidamente contestó:

—Bien.

—¿Aceptaste a Cristo como tu Salvador?—la abracé.

Levantando sus ojos hacia mí, sonrió y movió la cabeza afirmativamente,—sí.

*   *   *

La presencia fiel de mamá en la iglesia me hizo más consciente de la necesidad que existía de hacer nuestros servicios bilingües. La generación de jóvenes méxico-americanos que hablaba poco español deseaba tener sus servicios de alabanza en inglés; sin embargo, mucha gente mayor de edad quería sus enseñanzas y predicaciones en español. Para satisfacer la necesidad de todos, comenzamos a tener dos servicios los domingos: uno en español y el otro en inglés. También cantábamos los cantos de alabanza en ambos idiomas. Durante la semana seguíamos el mismo patrón para todas nuestras reuniones y estudios bíblicos.

El arreglo bilingüe servía de dos modos: todos estaban a gusto, aprendiendo la Palabra de Dios en su propio idioma, y a la misma vez, estaban expuestos a otro idioma. Los que hablaban solamente español estaban aprendiendo inglés y viceversa.

*   *   *

—¡Freddie!—Manuel Zertuche se me acercó una mañana muy temprano—. ¡Quiero hablar contigo!

—¿Que pasa?

—Anoche, cuando estábamos todos platicando en el dormitorio, Raider nos dijo que le gustaría ir a un Instituto Bíblico. Eso me hizo ver que yo también deseo ir.

—¡Gloria a Dios!—estaba totalmente de acuerdo.

—Eso no es todo—añadió con una sonrisa—. Juan Rivera y Juan Garza quieren ir también.

—Háblales a todos, que vengan acá—le pedí—. Tengo algo que hablar con ustedes.

Se congregaron todos alrededor mío, ansiosos de escuchar un consejo.

—El Espíritu Santo es el único que puede depositar el deseo en sus corazones de querer saber más de la Palabra de Dios—los animé—. Así que, llenen sus solicitudes para la escuela de su gusto y prepárense para irse.

Ninguno de los muchachos tenía el dinero, pero por fe, los siete se matricularon, y antes de la fecha indicada, el dinero de la inscripción fue proporcionado.

Los siete formaban parte del coro y temí que jamás los volviera a juntar. Ese era el momento apropiado para hacer una grabación musical. Después de la oración la mañana siguiente, les di la noticia:

—Ustedes son la primera cosecha de este ministerio. Con el tiempo vendrá otra cosecha al Centro Victoria. Pienso que el "Coro de los Ex-Drogadictos" debe dejar un testimonio en canto, acerca del Señor Jesucristo, para que sirva de inspiración a otros.

—¡Buena idea!—Manuel Zertuche estuvo de acuerdo—. Pero, ¿crees tú que podremos hacerlo, Freddie? Nos vamos en dos meses al Instituto Bíblico.

—Practicaremos todos los días y estaremos listos en un mes—les aseguré con una sonrisa—. Júntense con Ninfa a ver cuáles cantos van a escoger.

Ella ensayó con ellos largas horas diariamente, y en el mes de agosto, dirigimos nuestra tropa a un estudio de grabación. Nuestros muchachos se empezaron a poner nerviosos mientras los técnicos de sonido arreglaban los diferentes micrófonos.

—Recuerden por qué estamos aquí—les dije—. No estamos aquí porque cantamos muy bonito; hay otras personas que cantan mucho mejor que nosotros. Lo único que le agrada al Señor Jesucristo cuando le cantamos, es que le cantamos desde el fondo de nuestro corazón. De modo que acuérdense de dónde nos ha recogido y alábenle con un corazón agradecido.

Uno de los solos que Ninfa cantó, "Fue un Milagro" lo escogimos para que fuera el título de nuestro disco. Fue un milagro de Dios la transformación de nuestras vidas y fue un milagro más hacer esa grabación.

El último día que nuestros siete estudiantes pasaron en el Centro Victoria, les impusimos las manos y oramos durante el servicio matutino de capilla. Después de que se terminó el servicio, Juan Garza llamó a Ninfa para hablar en privado. Por la expresión de ella me di cuenta de que Juan la estaba contrariando, por lo tanto me les acerqué. Señalando a Juan, Ninfa me dijo:

—¡No quiere irse al Instituto Bíblico!

—No es que no quiera ir, Freddie—movió la cabeza negativamente—. Es que soy demasiado torpe.

—¿Y quién te dijo eso?—le pregunté asombrado.

Se veía apenado y agachó la cabeza.

—Siempre he sido torpe, Freddie. Me salí de la escuela desde pequeño porque nunca pude sacar buenas calificaciones—. Juan comenzó a narrar su niñez; cada palabra sonaba como un eco de mi propia historia.

—Yo amo al Señor Jesucristo, Freddie—trató de ahogar su llanto—, y es por eso que no quiero engañarlo. Debe de ir alguien que tenga más sesos que yo. El Señor Jesucristo realmente merece lo mejor.

Dándole una palmada en la espalda le dije:

—Vente, vamos al patio de atrás—. Sentándonos bajo la sombra de un árbol, continué—: Escúchame, Juan. Cualquier hombre que puede robar más de doscientos dólares al día para mantener su vicio de heroína sin que lo capturen, tiene que tener sesos. ¡No me digas a mí que eres tonto!—me reí con él—. Ahora que si tú me dices que no te gusta estudiar, eso es otro cuento. Yo sería el primero en decirte que no fueras al Instituto, porque vas a perder tu tiempo y el de Nuestro Señor Jesucristo; pero no te engañes a ti mismo, simplemente porque piensas que eres tonto, porque eso no es cierto.

Juan escuchaba atentamente y yo seguí:

—¿No te has dado cuenta de que el Dios Todopoderoso, el Creador del Universo, vive en tu corazón?, y ¿qué acaso no recuerdas que la Biblia nos enseña "Todo lo puedo en Cristo que me fortalece?"[1]

—Sí, señor—respondió humildemente.

—¡Pues, entonces!—concluí—. ¡No me digas que no puedes! Aplica la Palabra de Dios a tu vida, vete al Instituto Bíblico y brilla por Cristo.

—¡Si, señor!—había una nueva determinación en su mirada—. ¡Muchas gracias, Freddie! ¡Muchísimas gracias!

Cuando se fueron nuestros estudiantes al Instituto Bíblico, había treinta y cinco nuevos residentes en el Centro Victoria. El tiempo de frío se acercaba y mi apuro eran los quince muchachos que dormían afuera, en los carros viejos. Teníamos un total de ocho literas en un pequeño remolque que teníamos

---

[1] Filipenses 4:13, Biblia de Las Américas

estacionado en la parte de atrás y había hombres durmiendo en sofás viejos y en el piso de la sala.

Necesitábamos añadir un dormitorio urgentemente, pero no podíamos construir en una propiedad rentada y no teníamos dinero para comprarla.

—Señor Jesucristo—oré—, Usted ha proveído todas nuestras necesidades. Le doy las gracias y le pido que nos ayude ahora.

Un día, una señora cristiana ya anciana vino a verme. Su rostro irradiaba bondad. Me entregó un cheque.

—Dios me puso en el corazón darte ese dinero para que lo uses como un enganche para comprar esta propiedad para el trabajo de nuestro Señor Jesucristo— sonrió—. Lo único que te pido, Freddie, es que nunca menciones mi nombre. Esto es un asunto entre el Señor Jesucristo y yo; nada más.

Yo sabía que ella no era una mujer rica; y ni siquiera era miembro de nuestra iglesia. Pero cuando me enteré de que había vendido su propia casa y se estaba mudando a casa de su hermana para proporcionarnos el dinero, me conmoví profundamente. Su regalo era un sacrificio de amor.

—Gracias, Señor Jesucristo—oré cuando ella se fue—. Gracias porque aún hay gente que se preocupa.

Con los cinco mil dólares pagamos casi la mitad del total de la propiedad. Pero cuando le dije a Ninfa que quería edificar un dormitorio, desesperadamente alzó las manos y exclamó:

—¡En ese caso pon a alguien más que atienda la contabilidad!—suspiró—. Yo no sé hacer balances con números rojos.

¡Yo estaba decidido!

—El invierno ya está muy cerca y no tengo un sitio

donde acomodar a los muchachos. Tengo que construir ahora. Voy a ordenar el cemento y preparar todo para echar el piso. Dios sabe que este no es un gasto de locura. Yo creo que el dinero va a entrar. Si no, simplemente nos regresamos a la casa de San Eduardo.

Cuando los muchachos oyeron mi plan se ofrecieron a ayudar:

—Yo puedo echar los cimientos y puedo trabajar con concreto; yo soy albañil; yo soy plomero; yo soy electricista; yo soy carpintero.

—¡Mira!—le dije a Ninfa— el Señor Jesucristo ha puesto a los trabajadores que necesitamos aquí, entre nosotros mismos. El nos dará los fondos para el material según lo vayamos necesitando.

En una semana echamos la mezcla para el piso. Era todo lo que podíamos costear, pero estábamos muy contentos de que, por lo menos, habíamos comenzado. Teníamos fe en que poco a poco se levantarían las paredes y luego el techo. Creímos que todo estaría terminado para Navidad.

*   *   *

Nuestros muchachos nuevos tenían una actitud empeñosa. Estaban deseosos de estar en la capilla y en los estudios bíblicos. Siempre andaban con sus Biblias y siempre estaban listos para compartir las Escrituras y predicarse unos a otros. Cuando algún extraño llegaba al Centro Victoria, de inmediato lo rodeaban, queriendo ser los primeros en hablarle de Cristo.

Yo estaba consciente de que varios de ellos tenían el llamamiento para trabajar sólo para Cristo de tiempo completo, pero me sorprendí cuando Ramón se me acercó:

—Freddie, deseo hacer algo por Cristo, ahora mismo. Mándame a abrir un Centro Victoria en la ciudad de El Paso, Texas—. Antes de que yo pudiera decir algo, añadió—: Hay muchos drogadictos que nunca han escuchado el Evangelio.

El plan de Ramón parecía estar de acuerdo con la visión que Dios había puesto en mi propio corazón. Por fe, yo había visto un Centro Victoria en diferentes partes de todo Texas; quizá esto era sólo el principio.

—No voy a poder ayudarte mucho económicamente—le advertí.

—Tú nos has enseñado a poner nuestra confianza en Dios—contestó——. Lo único que te pido es tu consejo y tu dirección conforme los vaya necesitando.

Pocos días después, le impusimos las manos a Ramón y oramos, pidiendo la bendición de Dios cuando se fue a la ciudad de El Paso.

Abracé a Ninfa:

—Hemos lanzado a nuestro primer hijo espiritual al ministerio de tiempo completo, y qué bien se siente.

—Yo también estoy contenta—me sonrió—. Pero a la misma vez es triste verlo partir.

—No puedes detenerlo—le recordé—. No puedes detener a ninguno de ellos. Nuestra labor es ayudarlos a encontrar la voluntad de Dios para sus vidas, y luego, dejarlos ir. No te preocupes por Ramón. Yo le voy a ir enseñando lo que el Señor Jesucristo me ha enseñado a mí. ¡En el nombre de Cristo Jesús, va a tener éxito!

En menos de un mes, Ramón era la novedad en El Paso. La radio, la televisión y el periódico le hacían entrevistas. Se le dio una casa sin que tuviera que pagar renta. Pronto se llenó de drogadictos. Sin embargo, su éxito de inmediato se convirtió en nuestro dolor de cabeza.

—Ramón—le llamé de larga distancia—. Ahí va un *bato*[b] rumbo a El Paso y quiero que tengas mucho cuidado con él. No quiere saber nada de Dios. Es un rebelde, un instigador y un mantenido. Te aconsejo que no lo recibas; puede dañar tu ministerio.

—Tú encárgate de San Antonio, Texas; ése es tu asunto—contestó Ramón groseramente—. Aquí en El Paso, yo mando. Yo recibo a quien yo quiera. Ya no me interesa estar más bajo las órdenes de nadie. Voy a establecerme yo solo.

—¿Cómo pudo pasar esto?—me reprendí a mí mismo tan pronto como colgué el teléfono—. Ahora comprendo por qué el apóstol Pablo advirtió no poner a un novicio en posición de liderato[2].

Temerosamente caí de rodillas y oré:

—Señor Jesucristo, la culpa es mía por haber permitido que Ramón comenzara un trabajo para el cual aún no estaba preparado.

Poco tiempo después comenzamos a oír que el ministerio de Ramón tenía problemas. Me propuse no cometer otra vez el mismo error.

* * *

Cuando las tiendas del centro comenzaron a poner las decoraciones navideñas, llamé a todos los muchachos a la capilla:

—Voy a enseñarles a hacer servicios evangélicos en las calles—les anuncié—. No tenemos dinero para imprimir volantes anunciando el evento, pero el centro está lleno de gente que anda de compras por la Navidad; haremos nuestros servicios evangélicos allí.

---

[b] *bato*: muchacho
[2] 1 Timoteo 3:6, La Biblia al Día

Los muchachos aplaudieron y me animaron:

—¡Vamos a hacerlo!

—Jesucristo dice: "...Síganme, y yo los haré pescadores de hombres"[3]—señalé en mi Biblia—. Nuestro trabajo es ir a donde se encuentran los "peces": a las calles, callejones, la *barriada*; dondequiera que esté el pecado. Nuestra gente está herida y es nuestra obligación llevarles el Evangelio sanador del Señor Jesucristo.

Nos llevó dos días poner todo en orden. Ninfa ensayó villancicos navideños con los muchachos y yo pedí prestado un traje de "Santa Claus". Enrique, uno de los ex-drogadictos de complexión gruesa, se ofreció a hacerla de "Santa Claus.

—Nuestro plan de acción es simple—les expliqué cuando estábamos listos—. Ustedes, los que quieren ser predicadores, vean cómo lo hago yo. Vamos a poner nuestros micrófonos y bocinas en la esquina donde haya más gente, y vamos a comenzar a cantar. Mientras tanto, "Santa" va andar caminando en la acera, repartiendo dulces, y los niños van a hacer que sus padres los acerquen a verlo. Cuando se haya formado un grupo de gente, les hablo a dos de ustedes para que testifiquen. Después yo predico y hago la invitación para aceptar a Cristo en su corazón.

Nuestros servicios evangélicos navideños en las calles fueron de gran impacto. Cuando comenzaba a disminuir el número de gente que andaba de compras en el centro, nosotros también nos retirábamos y nos íbamos al *barrio*[c], a cantar los cánticos navideños por

---

[3] Mateo 4:19, Dios Habla Hoy

[c] *barrio*: parte o distrito de una población grande. En San Antonio, la parte de la ciudad donde predominan los méxico-americanos

la calle Guadalupe o en los hogares de los que vendían la droga. Algunos salían a saludarnos, a ofrecernos un café y escuchaban con lágrimas a medida que cantábamos y les hablábamos de Cristo.

Una semana antes de Navidad, cuando Josefina y Pablo se preparaban para irse a dormir, tomé a Pablo y lo senté en mi regazo mientras que Josefina se acurrucaba con Ninfa.

—Díganme—les pregunté a los dos—, ¿han pensado qué quieren como regalo de Navidad?

Sin titubear, Pablo respondió:

—Yo quiero un cuarto para mí solo. Así me puedo ir a dormir cuando yo quiera.

Me dolió escuchar a mi hijo de seis años pedirme un poco de privacidad, en vez de pedirme un juguete. No había manera alguna de que yo pudiera darle lo que me estaba pidiendo. Con un nudo en la garganta me dirigí a Josefina:

—¿Y tú qué, mi hija?

Penosamente sonrió, y alzando los hombros, añadió:

—No sé qué quiero, papá.

—Bueno—abracé a los dos—, entonces tendremos que esperar hasta Navidad para ver qué bendición les va a traer nuestro Señor Jesucristo.

Las vacaciones navideñas trajeron a nuestros estudiantes del Instituto Bíblico a casa. Les teníamos una gran sorpresa: el comedor y el dormitorio estaban listos. Allí comeríamos nuestra tradicional cena navideña.

—*¡Híjole!*[d]—Juan Rivera pegó un grito al entrar y ver la nueva estructura—. ¡Ustedes *batos* la tienen hecha! Nosotros teníamos que dormir afuera. ¡Al aire libre!

---

[d] *¡Híjole!*: ¡Caramba!

—¡Gloria a Dios!—uno de los muchachos más nuevos sonrió—. Pero las bendiciones del Señor Jesucristo no vinieron hasta que ustedes se fueron.

Todos nos echamos a reír y a darles la bienvenida a nuestros estudiantes.

El día de la Noche Buena, Ninfa comenzó a cocer la carne de puerco para los *tamales*[e] a las tres de la mañana. Mamá llego de madrugada a preparar la *masa*[f], mientras Ninfa cortaba y ponía las especias a la carne.

Al salir el sol, comenzaron a llegar las madres, esposas e hijos de nuestros muchachos y se reunieron en el comedor. Unas embarraban la *masa* en la hoja del maíz; otras ponían la carne y doblaban los *tamales*; el tercer grupo empacaba veinte docenas de *tamales* en los botes de cinco *galones*[g] cada uno y luego les echaban el caldo caliente de la carne. Luego, los muchachos se llevaban los botes al patio de atrás y los ponían sobre el fuego para que Petra, una de las señoras de la iglesia, se encargara de la última etapa: ver que se cocieran bien. Los otros muchachos eran responsables de preparar dos botes de cincuenta *galones* de *menudo*[h] cada uno. Mientras tanto, en la cocina ya estaban cocinando los frijoles y el arroz a la mexicana.

Al caer la tarde, cuando todo estaba listo para la comida, nuestra "Familia Victoria", unos 350

---

[e] *tamales*: masa de maíz sazonada, rellena de carne guisada con especias y envuelta en hojas de maíz y cocida al vapor

[f] *masa*: mezcla de harina de maíz, manteca y caldo o agua

[g] *galones*: Un galón equivale a 3.78 litros

[h] *menudo*: guiso hecho con el estómago y los intestinos de vaca, ternera o cerdo, similar a los caldos pero con maíz en lugar de garbanzos

incluyendo a los niños, tuvimos nuestro servicio navideño. La sala y la oficina estaban repletas de adultos; algunos de los hombres estaban parados en las puertas de las entradas. Los niños tuvieron su servicio afuera, bajo el techo que servía para proteger el automóvil, con sus piñatas multicolores hechas por nosotros, colgando del techo.

Toda la casa estaba decorada con guirnaldas rojas de papel metálico y algunos ornamentos de Navidad que nos habían donado. En una esquina de la sala estaba el árbol que fue donado, pero que nuestros muchachos habían tenido que cortar y decorar ellos mismos. Para muchos de nuestros muchachos ésta era la primera celebración navideña fuera de la penitenciaría; otros se la habían pasado en las calles toda una vida. Para todos nuestros recién llegados, era la primera Navidad celebrada con Jesucristo.

Después de nuestro servicio de alabanza, tuvimos nuestra cena tradicional en el comedor nuevo. Mucha gente tuvo que comer parada. Fue obvio que nuestro programa de construcción había comenzado solamente.

Muy temprano, la mañana de Navidad, Josefina y Pablo se levantaron para abrir sus regalos. Mamá nos había dado dinero para comprárselos. Los ojitos de Pablo brillaron al ver su "nueva" bicicleta de segunda, y Josefina inmediatamente se puso su collar y sus aretes y se puso a jugar con sus platitos y tacitas de juguete. Los dos tenían un regalo para mí. Orgullosamente, Pablo me entregó la caja que estaba envuelta con papel de aluminio de la cocina:

—Ten, papá. Este es de parte mía y de Josefina.

Me miraban ansiosos mientras desenvolvía mi regalo y saqué un portatrajes de plástico de color verde oscuro.

—Es para cuando vayas y prediques fuera de la ciudad—me explicó Josefina emocionada—. ¡Nosotros solitos te lo escogimos!

Los abracé y les aseguré que su regalo era el mejor de todos. Más tarde, Ninfa me contó cómo los niños habían orado para que Cristo les ayudara a obtener el regalo "perfecto" para papá y que ellos cuidadosamente habían esculcado todas las cajas de ropa donada hasta que lo hallaron.

Antes de que se terminara el día, Francisco, Ricardo y Sandra llegaron a pasar el resto de los días festivos con nosotros. El único de nuestros hijos que faltó fue Jesús. Oramos para que algún día todos estuviéramos juntos.

*　　*　　*

Nuestros siete estudiantes regresaron al Instituto Bíblico después del Año Nuevo.

—Ahora que se han ido—compartí con Ninfa—, voy a concentrarme más en *discipular* [i] hombres nuevos.

Ya había comenzado a *discipular* a Gilberto. El se había hecho adicto a la heroína durante el tiempo que sirvió como sargento en Vietnam. El día que él entró al Centro Victoria, llegó tan enfermo que cuando se hincó a aceptar a Cristo como su Salvador, tuvo que sostenerse de otro muchacho para no caerse. Cristo lo sanó de su drogadicción instantáneamente.

Ahora, él me preguntó que si yo lo podía tener bajo mi dirección y enseñarlo a predicar sin que tuviera que ir al Instituto. Era un reto que yo me propuse aceptar.

—De hoy en adelante voy a traer a Gilberto conmigo en la iglesia y en el Centro Victoria—le dije a Ninfa—.

---

[i] *discipular*: instruir, formar discípulos

Me lo voy a llevar conmigo cuando tenga que ir a predicar o a hablar en alguna cárcel, escuela, club social o a otra iglesia. Cualquier cosa que yo haga, le voy a enseñar a hacerlo también. Al escuchar eso, Ninfa movió su cabeza en acuerdo.

Entonces añadí:

—Hay otra cosa que necesitamos hacer; iniciar estudios en la iglesia sobre el matrimonio cristiano. Yo sé que tú y yo tenemos nuestras luchas—admití—, pero nuestra gente está sufriendo aún más. Se les necesita recordar que Dios, no "Hollywood", formó la institución del matrimonio y que solamente las reglas que Dios estableció para ello, pueden hacer funcionar el matrimonio—. Ninfa fijó sus ojos en mí intensamente y yo continué—: Tú sabes las batallas que nosotros hemos tenido, porque no sabíamos nada de las responsabilidades del marido o de la esposa.

—¡Dímelo a mí!—Ninfa forjó una sonrisa—. Aún estamos en la lucha.

—La iglesia aprende tanto de las enseñanzas como de nuestro propio ejemplo—le expliqué—. Ellos comprenden que aún no hemos llegado a la meta tú y yo, pero ellos pueden aprender hasta de nuestros propios errores.

Ninfa bajó la mirada y se mordió el labio.

—Yo reconozco que el Espíritu Santo es el que te está dirigiendo en este asunto—dijo lentamente—, porque yo misma necesito aprender—trató de contener las lágrimas—. Tú sabes, Freddie, que yo creo en la Sagrada Escritura cuando me dice "Las mujeres estén sometidas a sus propios maridos como al Señor"[4]. Pero yo lucho para poner eso en práctica.

---

[4] Efesios 5:22, Biblia de Las Américas

Recientemente me he examinado a mí misma y no me gusta lo que veo en mí. La Biblia me dice que "...el esposo es cabeza de la esposa, como Cristo es cabeza de la iglesia..."[5]. Sin embargo yo me he opuesto y hasta te he desafiado cuando debía haberte apoyado. He tomado el control cuando debía haber consultado contigo—sollozó——. ¿Me perdonas?

La acerqué a mi lado:

—Claro que te perdono—le contesté en voz baja, tratando de pasar el nudo que sentía en la garganta—. ¡Pero yo soy culpable también! La Palabra de Dios le dice al esposo que él debe amar a su esposa así: "...como Cristo amó a la iglesia y dio su vida por ella"[6]. Aún así me he ocupado tanto con los asuntos del ministerio que te he descuidado a ti y a los niños. ¿Me puedes perdonar tú a mí?

—¡Oh, Freddie!—Ninfa lloró abiertamente—. ¡Yo te amo y seguro que te perdono!

Ambos nos abrazamos y derramamos lágrimas de arrepentimiento. Nos pusimos de rodillas, nos tomamos de las manos y oramos:

—Gracias, Señor Jesucristo, por su Santo Espíritu, que nos abre los ojos y nos deja ver lo que hacemos mal. Perdónenos por hacer las cosas a nuestra manera y ayúdenos a vivir según sus enseñanzas.

La dulce presencia del Señor levantó nuestros ánimos quebrantados y nos llenó de regocijo.

A los cuantos días Ninfa compartió conmigo:

—He estado pensando seriamente, Freddie, y he llegado a la conclusión de que tenía mis prioridades todas confundidas. ¡Yo soy la culpable de descuidarte

---

[5] Efesios 5:23, Dios Habla Hoy
[6] Efesios 5:25, Dios Habla Hoy

a ti y a los niños! ¡Me he justificado a mí misma con el cuento de que estoy muy ocupada en el ministerio "sirviendo a Cristo"! Yo pensaba que de esa manera estaba poniendo a Cristo primero en mi vida, pero estaba completamente equivocada.

Suspiró profundamente.

—Es verdad que Cristo es primero en mi vida. Lo amo con todo mi corazón. Pero ahora comprendo que le sirvo a El y le doy honra y gloria a su nombre cuando pongo tus necesidades y las de los niños antes que el ministerio.

Tratando de no llorar, exclamó:

—¡Perdóname, Freddie, perdóname!

La tomé de la mano:

—Los dos tenemos la culpa, Ninfa. Hubo veces que se necesitaba hacer un trabajo en el ministerio, y te sacaba de tu papel de esposa y madre para que me ayudaras. Si me hubiera esperado, yo creo que Jesucristo me habría mandado alguien que me ayudara; pero fui impaciente.

—Estoy preocupada, Freddie—Ninfa trató de sonreír—. Yo leo en la Escritura, "Las ancianas... han de enseñar a las jóvenes a amar a sus esposos e hijos, a ser prudentes y puras, a cuidar del hogar y a ser dulces y obedientes con sus esposos, para que nadie hable mal del cristianismo por culpa de ellas"[7]. Yo les he estado dando mal ejemplo—sollozó.

—Nomás pídele a Jesucristo que te perdone, Ninfa, y comienza a ser lo que tú sabes que está bien—la abracé—. Haz un balance; pon bien tus prioridades en tu corazón, cuida de tus obligaciones en la casa; luego haz lo que Dios quiere que hagas en el ministerio.

---

[7] Tito 2:3-5, La Biblia al Día

Por ahora, yo sé que El quiere que compartas algunas de tus experiencias con las mujeres de la iglesia. Enséñalas de la Palabra de Dios y poniendo buen ejemplo.

Los ojos de Ninfa se alegraron:

—¡Oh, Freddie! ¡Me gustaría! Y he visto una gran necesidad entre nuestras mujeres. He hablado con muchas esposas y casi todas tienen la misma historia que contar. Por años, sus esposos han sido esclavos de la droga, del alcohol o de cualquier otra cosa, y la esposa se ha visto obligada a hacerse cargo del hogar. Ahora que el esposo es cristiano y quiere tomar la responsabilidad que le es ordenada por Dios como cabeza de su familia, el pleito comienza. La esposa está tan herida y desilusionada que no le tiene confianza ya, o tiene miedo de dejar ir la autoridad, o nomás no quiere.

Yo estaba de acuerdo con ella.

—Pero hay otro lado también, Ninfa. Algunos hombres no quieren tomar la responsabilidad como "...cabeza de la esposa..."[8]. Se rehúsan a tomar el mando. Ellos no quieren una esposa, quieren una "mamá". Yo no quiero que nuestra gente esté ignorante de la Palabra de Dios. Tú enséñales a las mujeres y yo les enseño a los hombres. ¡Vamos a echarle, Ninfa!—le sonreí—. ¡No seremos los mejores maestros, pero vamos a darles lo mejor que tenemos!

---

[8] Efesios 5:23, La Biblia al Día

Capítulo 10

Cicatrices del Campo de Batalla

Ningún arma forjada contra ti
prosperará,
y condenarás toda lengua que se alce
contra ti en juicio.
Esta es la herencia de los siervos del
SEÑOR, y su justificación viene de mí
—declara el SEÑOR

Isaías 54:17
Biblia de Las Américas

—En un mes y medio, nuestros muchachos van a terminar en el Instituto Bíblico—Ninfa se acurrucó conmigo al retirarnos para descansar—. Sí vamos a poder ir a verlos cuando se gradúen, ¿verdad?

—Lo cierto es que no tenemos el dinero para ir a El Paso ni a California—le contesté tristemente—. Vamos a tener que esperar, hasta que ellos regresen a la casa; luego tendremos una fiesta y celebraremos.

En ese instante, un toquido suave en la puerta interrumpió la conversación.

—Freddie, soy yo, Gilberto. ¿Puedo hablar contigo?

—¿No te puedes esperar hasta mañana?—le pregunté—. Ya estamos acostados.

—Es importante—su voz sonaba urgente—. Abrí la puerta y lo dejé entrar.

—¡Oye, Freddie!—murmuró—. ¿Qué está pasando?

—¿De qué estás hablando?—le pregunté sorprendido—. ¿Cuál es el problema?

—¿No sabes de Raúl?— me preguntó un poco alarmado—. ¿El que fue contigo al Instituto Bíblico y luego volvió al uso de las drogas? Ese no es tu amigo, Freddie. Ha estado haciendo juntas en el dormitorio de atrás, después de que tú y Ninfa se van a dormir.

—Sí, yo sé—lo interrumpí—. El me pidió permiso para comenzar un grupo de oración adicional, por las noches. Yo lo animé y hasta le sugerí que fuera bastante noche, para que todos ustedes pudieran participar.

—¡Culto de oración ni qué nada!—Gilberto se enojó—. Ha estado usando todo ese tiempo para decirnos que tú no estás calificado para ser pastor. Que estás viviendo en pecado, porque eres divorciado y te volviste a casar. Que te estás robando los fondos de la iglesia, que andas usando drogas; toda clase de mugrero. Está tramando a tus espaldas la forma de echarte fuera del programa.

Comencé a ver claramente que algo malo estaba ocurriendo; el diablo se había metido y esta vez ni cuenta me di.

—Yo sabía que Raúl no estaba sirviendo a Dios cuando vino al Centro Victoria—le expliqué a Gilberto—. Lo habían echado fuera de varios programas de rehabilitación para drogadictos, pero él me dijo que había aprendido su lección y que se quería poner bien con Dios. Yo confié en él y lo acepté en el programa. No debía haberlo dejado predicar tan pronto, pero yo me acordaba de él como uno de los predicadores más elocuentes del Instituto Bíblico y pensé que los servicios de oración lo ayudarían a levantarse más pronto.

Gilberto movió la cabeza negativamente.

—Ya tiene un grupo de rebeldes contra ti. El plan de ataque es para mañana. Te vas a levantar y te vas a encontrar solo, sin nadie que te apoye. Raúl les ha prometido a los muchachos que cuando él sea el nuevo director del Centro Victoria, ya no va haber reglas tan estrictas, y que se les va a dar sueldo por el trabajo que desempeñen. Todos están creyendo en él, Freddie. Yo lo sé porque hasta yo ya me estaba yendo en la onda con él—confesó Gilberto—. A mí ya mero me engañaba, Freddie—añadió un poco atemorizado—. Si no ha sido por el "Oso", quizás no estaría aquí contándote.

—¿"El Oso"?—me sorprendí. El había sido alcohólico y tenía por lo menos cincuenta años; un hombre serio, que muy frecuentemente se dormía durante los estudios bíblicos, pero amaba a Jesucristo—. ¿Qué fue lo que hizo el "Oso"?

Gilberto contestó apenado:

—El estaba ahí con el resto de nosotros en el mentado "servicio de oración" cuando el plan de acción en contra tuya fue decidido. Cuando me levanté para ir al baño, el "Oso" me siguió. Me detuvo a medio pasillo y me dijo:

"¡Gilberto, no lo hagas! ¡No te voltees contra Freddie! ¡El es un hombre de Dios!"

Gilberto trató de contener sus lágrimas.

—Las palabras del "Oso" me despertaron de mi estupor—continuó—. Si otra persona me lo hubiera dicho, quizá habría discutido con él. Pero el "Oso" es un hombre sencillo que teme a Dios. El pudo ver que el resto de nosotros estaba cegado. Comprendí que era Dios hablándome a través de él—. Gilberto golpeó su otra mano con el puño—. Qué cerca estuve de unirme a un ataque satánico contra el ministerio del Señor Jesucristo. Tú eres el hombre que Dios ha puesto a cargo y eso es suficiente para mí... ¡Yo no voy a ponerme ni en contra de Dios ni de su siervo!

—Júntame a todos los muchachos ahorita mismo—le dije—, y llama también a Raúl. ¡Vamos a arreglar este asunto de una vez por todas!

—Es que ya todos se acostaron, Freddie—me recordó—. Mejor vamos a esperarnos hasta mañana temprano.

—Bueno—titubeé un poco—, pero a primera hora en la mañana.

Regresé a mi cama pero ya no pude dormir.

—*La conducta de Raúl se puede explicar*—pensé—, *pero, ¿quiénes son los rebeldes de los que Gilberto me estaba hablando?*—. Toda la noche luché conmigo mismo, pidiéndole a Cristo que me ayudara.

La primera cosa por la mañana fue llamar a Raúl a una confrontación privada.

—Nunca voy a comprender por qué lo hiciste, Raúl, y ni siquiera voy a tratar de entenderlo—. Sentía más tristeza dentro de mí que coraje. Raúl no dijo nada y yo continué—: Ya quemaste todas tus entradas. La policía de California te anda buscando por los *cheques calientes*[a]. Varios centros cristianos ya te han cerrado las puertas. Sin embargo, yo te abrí las puertas de mi casa y de mi corazón. Ahora me pagas poniendo a mi gente en mi contra. ¿Qué no sabes, Raúl, que te estás metiendo con almas que pertenecen a Dios? ¿Qué no temes a Dios? Mira, mejor empaquen sus cosas tú y tu esposa y salgan de aquí.

Raúl sólo sonrió y se encogió de hombros. Salió del

---

[a] *cheques calientes*: cheques sin fondos

cuarto cuando Gilberto entraba para anunciar:

—Todos los muchachos involucrados en el plan están aquí, Freddie.

Entré a la oficina listo para enfrentarme a un jurado implacable. Quince de los muchachos que yo pensaba eran mis "hijos espirituales" me estaban esperando. Muchos de ellos eran relativamente nuevos en el Centro Victoria. Algunos ya habían terminado el programa y eran miembros activos del Templo Victoria. Pedro, uno de los miembros de la iglesia, habló por el grupo:

—Freddie, hemos votado y hemos decidido que no te queremos como pastor; no te queremos como líder ni te queremos como director del Centro Victoria, ni nada. Te queremos fuera de aquí. Ninguno de nosotros está de acuerdo con la manera en que tú has estado llevando el programa. ¡Queremos un pastor nuevo!

El rostro de Pedro se desfiguró por el odio y su voz era áspera. Sus palabras me hirieron en lo más profundo.

—*¡Señor Jesucristo!*—oré dentro de mí—*¿Qué está pasando? Estos son los muchachos que recogí de las calles; les enseñé Tu Palabra y los amo. ¿Qué tienen estos batos?*

Atónito escuché en silencio cómo uno por uno, con ira, se lanzaba contra mí, diciendo sus razones de por qué no me querían. Yo había usado la disciplina para corregir su comportamiento y muchos de ellos la habían resentido amargamente. Ahora intentaban desquitarse. Me lanzaron las acusaciones en contra mía que Raúl les había dicho e hicieron pedazos mi corazón. Podía ver que querían creer las mentiras; querían que fuesen verdad.

Después de haberlos escuchado, hablé:

—Yo no sabía que ustedes sintieran en su corazón tanto odio por mí. Los he amado y me he esforzado por enseñarles cómo vivir la vida cristiana. Cuando ustedes estaban equivocados, tenía que corregirlos porque sabía que eso iba a dañar su caminar con Cristo. ¡Quería que ustedes la hicieran! La Biblia dice que Dios usa disciplina para nuestro propio bien, para que participemos de su santidad[1]. Porque los amo, continuaré llamándoles la atención cuando vea que están haciendo mal.

Fijé mis ojos en cada uno de ellos; sus rostros no expresaban nada.

—Si ustedes creen que los he ofendido de una u otra forma—continué—, entonces les pido que me perdonen.

Fui y los abracé a uno por uno; incómodos, al sentir mis brazos alrededor de ellos, algunos se resistieron.

Habían rechazado todo lo que yo les había dicho. Me enderecé de hombros y añadí con firmeza:

—Como no soy culpable de sus acusaciones, no me voy a rebajar. Soy su pastor y director del Centro-Victoria. ¡Punto final! Aún los amo y pueden quedarse.

Decidan por ustedes mismos lo que quieren hacer.

Ahora vamos a orar, y después de esto, pueden retirarse. Durante la oración sentí una corriente de hostilidad.

La batalla no había terminado.

La gravedad de la situación se hizo más evidente aquel viernes en la iglesia. Nuestra congregación contaba con ciento cincuenta adultos, pero solo cien vinieron al servicio de oración.

---

[1] Hebreos 12:10, Biblia de Las Américas

—Raúl ha estado visitando a los miembros de la iglesia durante el día—Ninfa me dijo—. Algunos han llamado para contarnos sobre el veneno que anda desparramando.

El domingo por la mañana, solamente setenta miembros vinieron a la iglesia y con tristeza noté que David Pérez, el dirigente de los ujieres de la iglesia, estaba ausente. Tuve un sentimiento enfermizo de rechazo total. Nunca, desde que habíamos llegado al encuentro con nuestro Señor Jesucristo, nos habíamos sentido tan solos Ninfa y yo.

Esa tarde, David Pérez entró como de rayo a nuestra recámara:

—¡Freddie!—me dio un abrazo—. ¡Yo no sabía! ¡Apenas me enteré y me vine corriendo para acá!— con lágrimas en los ojos añadió—: ¡Tú eres mi pastor, Freddie! ¡Yo estoy contigo!

Su esposa me pasó por un lado rápidamente y fue a darle un fuerte abrazo a Ninfa. Las dos lloraron; una, en brazos de la otra.

—Cuando no te vi en la iglesia pensé que te habías ido al lado de ellos—le confesé a David.

—¡No, Freddie!—movió su cabeza en un gesto negativo—. He estado trabajando el turno de la noche estas últimas semanas. Es la única razón por la cual no he venido a la iglesia.

El apoyo de David fue de gran consuelo para mí, pero se me volvió a revolver el estómago con gran dolor, ese mismo domingo por la noche, cuando la congregación se redujo a un total de cincuenta miembros. La mayoría de la gente nos saludó a Ninfa y a mí con frialdad y formalidad, casi como si fuéramos extraños. Podía sentir su desconfianza y me sentía traicionado. Un pensamiento me seguía martillando en la mente:

—*"Ya se acabó todo, Freddie. Empaca tus cosas y vete de aquí. Tu ministerio con el drogadicto se ha terminado"*.

Noche tras noche me quedé despierto, sin poder dormir. Me sentía agotado, destrozado físicamente y ya tenía días con dolor de cabeza.

—*Esto no puede estar más claro*—concluí finalmente—. *Esta gente no me quiere aquí.*

—Empaquemos nuestra ropa y vámonos—le dije a Ninfa—. ¿Quieren quedarse con el Centro Victoria y el Templo Victoria? Pues que se queden con ellos. Nosotros podemos comenzar un trabajo nuevo para Jesucristo en otra ciudad.

—¡No!—la voz de Ninfa me despertó—. ¡No nos vamos!—se puso las manos en las caderas desafiándome.

Entonces yo exploté:

—¡Por qué nunca puedes estar de acuerdo con nada de lo que digo? Todo el tiempo tienes que contradecirme. ¿Sabes qué, Ninfa? ¿Tú te quieres quedar? ¡Bueno! ¡Yo me voy!

—¡No! ¡Tú no te vas!—estalló—. ¿Y sabes por qué no te vas a ir? ¡Porque no eres un rajón!—sus ojos me retaron—. Ni cuando andabas de drogadicto te rajaste. No te vas a rajar ahora que eres Ministro del Evangelio. ¡Jamás podrías mirarte al espejo!

Me dejé caer sin fuerzas en la orilla de la cama, ocultando mi cara entre las manos. No podía negar la verdad de sus palabras. Tenía que quedarme. Toda la fuerza que había acumulado para decir que me iba se desvaneció y caí de rodillas en oración. Amargas lágrimas quemaban mis ojos.

—Duele, Señor Jesucristo—susurré con angustia—. Duele ver que la gente que he ayudado se voltee en contra y nos dé la puñalada. Duele el tener que quedarme en un lugar donde no me quieren. Pero un pastor no deja a su rebaño. Me quedo, Señor Jesucristo; me quedo.

Ninfa se hincó a mi lado, nos abrazamos y lloramos. Pero aún no estábamos preparados para todas las congojas que nos esperaban.

El lunes, a las seis de la mañana, Ninfa me despertó:

—Josefina tiene un dolor de cabeza bastante fuerte, Freddie. ¿Puede faltar a la escuela y quedarse en casa para atenderla?

—Deja que se quede en la cama—consentí—. Olvídate del quehacer y cuídala.

Cerca del mediodía entré a la sala, justamente en el momento que Juan Miguel Rivera entraba por la puerta del frente.

—*Se supone que debe estar en el Instituto Bíblico*— la idea pasó rápidamente por la mente—. *¿Qué andará haciendo por aquí?*—busqué sus ojos—. *¿Acaso ya sabrá lo que está sucediendo? ¿Estará de mi lado o en mi contra?*—ya no sabía ni qué esperar.

Juan sonrió y me apretó la mano:

—Antes que digas nada, quiero que sepas que me han llegado los rumores; yo no lo creo. Estoy contigo.

—Juan...—traté de explicarle.

—No quiero oír nada—repitió—. Estoy contigo y eso es todo. Solamente voy a ir a dejar a Raider a su casa y vuelvo. Me voy a quedar para ayudarte.

No tuve tiempo para reflexionar sobre lo que me dijo porque en el momento que salía oí a Josefina gritar de terror. Corrí hacia la recámara y la encontré tirada e inconsciente en el piso. Ninfa estaba tratando de volverla en sí.

—¿Qué pasa?— grité.

—¡No sé!—dijo Ninfa llorando—. ¡Nada más se desmayó!

—¡Padre Santo, en el nombre de Jesucristo, sana a mi hija!—oré——. Tócala, en el nombre de Cristo Jesús.

Josefina comenzó a recobrar el sentido. Rompió a llorar de dolor.

—¡Mis ojos, papi! ¡No puedo ver!

El corazón me dio un brinco.

—¡Levántate, hija!—le dije, tratando de levantarla del suelo—. ¡Levántate!

—¡No puedo!—lloró—. ¡Mis piernas! ¡No tengo fuerza! Y mi cabeza, papi; siento como si me fuera a reventar.

Se colgó de mí y uno de los muchachos entró a la recámara justo a tiempo para ayudarme a levantarla y ponerla en la cama. Ninfa había salido del cuarto y regresó con un trapo mojado y se lo puso a Josefina en la frente. El cuerpo de Josefina estaba decaído pero gracias a Dios ya había recuperado la vista. Después de un rato se quedó dormida.

—Llévala al doctor—le dije a Ninfa—. Averigua qué es lo que tiene.

—Pero... no tenemos dinero—me dijo mortificada—. ¿Qué les digo en el hospital?

—Diles que les pagaremos la cuenta en abonos; ¡nada más! ¡Llévala!

A la hora y media Ninfa me llamó del hospital:

—Admitieron a Josefina. Los doctores dicen que los síntomas que tiene son causados por migrañas, que son dolores de cabeza muy fuertes. Acaban de dormirla con Valium, para que descanse. Pero Josefina me pidió que me quedara con ella toda la noche.

—¡Hazlo!—la animé—. No te preocupes por Pablo. Yo lo cuido. Dile a Josefina que la quiero mucho y que estamos orando para que Cristo la sane.

* * *

El martes, antes de que amaneciera, me despertaron unos fuertes toquidos en la puerta de mi recámara.

—¡Oye, Freddie!—Se escuchó una voz conocida al otro lado—. ¡Soy yo! ¡Manuel… Zertuche!

—¿Manuel?—miré el reloj—. ¡Son las 2:34 de la mañana!

Corrí a abrir la puerta. Afuera estaba el resto de nuestros estudiantes del Instituto Bíblico.

—Nos enteramos—la mano de Juan Garza apretó fuertemente la mía—, y venimos a ver en qué podemos ayudar.

Cada uno me dio un fuerte abrazo y un fuerte apretón de mano. Su cariño y compasión fueron como un bálsamo para mi dolor.

—¿Cómo se enteraron hasta California?

—Este me llamó—dijo Manuel señalando a Juan Rivera.

—¿Y cómo se enteraron ustedes en El Paso?—voltié hacia Juan Rivera.

—Ya sabes—Se carcajeó—: un pajarito…

Todos se atacaron de risa y yo me les uní. Parecía como si no me hubiera reído en una eternidad y me sentí muy bien.

—¿Y de dónde sacaron el dinero para venir?

—Eso no fue ningún problema—presumió Juan Rivera—. El Paso no está tan lejos. Además, el superintendente del Instituto Bíblico me prestó—dinero para la gasolina.

Juan Garza se aclaró la garganta y dijo:

—Nosotros traemos la camioneta de la escuela desde

California. Cuando le expliqué al Director por qué necesitábamos estar contigo, no sólo nos prestó la camioneta sino que nos dió su tarjeta de crédito para llegar hasta aquí.

—¡Estamos listos!—anunció Manuel—. Sólo dinos cómo podemos ayudar.

Estaban llenos de energía y sus ojos brillaban con fe y valor. Me sentí como un soldado, que herido bajo el ataque del enemigo, ve aterrizar de repente a otros soldados que vienen con refuerzos.

—Váyanse a dormir un rato—les dije—. Tienen todavía como tres horas de aquí a que amanezca. Hablaremos cuando hayan descansado.

Todo el día del martes Dios usó a nuestros estudiantes del Instituto Bíblico para bendecir mi alma fatigada. Juntos reímos, oramos y alabamos al Señor Jesucristo.

—No sé si vaya a llegar alguien a la iglesia mañana—les advertí—, pero ustedes háganse cargo del servicio de alabanza. Ustedes saben qué hacer.

*   *   *

El miércoles por la tarde, Gilberto y Lee fueron a orar conmigo a la iglesia un poco más temprano de lo acostumbrado. Por primera vez en más de una semana estaba en paz.

—Siento la presencia de Dios tan fuerte—les dije—, que ya no tengo temor a lo que pase. Si nadie viene hoy por la noche, les predicamos a las bancas vacías y a nosotros mismos.

La carcajada de Gilberto resonó en la iglesia vacía.

Cuando comenzó el servicio, solamente estaban presentes treinta personas. Recargados en la pared de atrás, se encontraban Pedro y unos de sus seguidores, sonriendo triunfalmente.

Nuestros estudiantes del Instituto Bíblico, bajo la dirección del Espíritu Santo, se pusieron en acción, con la facilidad y precisión de un ejército preparado. Dirigieron los cantos de alabanza, dieron testimonios y predicaron el sermón de esa noche.

Antes de que se terminara el servicio, me levanté y hablé a mi congregación:

—Todos ustedes están conscientes de lo que está pasando. Se les ha dicho que estoy viviendo en pecado. No tengo ninguna forma para demostrar realmente mi inocencia, pero sí les puedo decir que no soy culpable de lo que he sido acusado. Ustedes pueden creer lo que quieran, pero entiendan esto: Dios me ha puesto como su pastor. Ustedes no me contrataron, así que tampoco pueden despedirme.

*　　*　　*

Ninfa trajo a Josefina del hospital el jueves, completamente recuperada. Me contó lo que había ocurrido los últimos cuatro días.

—Los doctores no sabían lo que estaba causando las migrañas. Le daban sedantes mañana, tarde y noche; Valium, Darvon y Fenobarbital. Yo sabía, Freddie, que no estaban atacando el problema, de modo que cada vez que Josefina se quedaba dormida, yo ponía mi mano sobre ella, pidiéndole al Señor Jesucristo que la sanara. El miércoles por la mañana, ella despertó todavía con dolor. Cuando un miembro de la iglesia llegó a visitarnos y comenzó a platicar de todos los problemas de la iglesia, Josefina comenzó a gritar: "¡Los odio! ¡Los odio a todos ellos!" Me asustó, Freddie. Tomé a Josefina entre mis brazos y traté de calmarla. Cuando le recordé: "el odio no viene de Dios, mi hija", ella comenzó a sollozar y echó fuera todo lo que secretamente traía dentro.

Los ojos de Ninfa se habían humedecido.

—¿Sabías que Raúl y su esposa trataron de convencer a Josefina de que se fuera con ellos?

—¿Que qué?— no podía creer lo que estaba oyendo.

—Le dijeron que ni tú ni yo realmente apreciábamos su talento para cantar, pero que si se iba con ellos, le darían la oportunidad de ministrar cantando en las diferentes iglesias. Le prometieron darle toda la ofrenda y hasta le garantizaron darle una recámara privada, que según ellos, nunca nos preocupamos por darle.

Me quedé sin habla. La cara de Ninfa estaba seria.

—Y eso no es todo—suspiró profundamente—. Josefina y Pablo han sido abiertamente ridiculizados en la iglesia de los niños. Los chiquillos les han estado diciendo lo que oyen decir en sus casas. Por ejemplo: "mi mamá y mi papá dicen que tu mamá y tu papá viven en pecado". Pablo apenas tiene ocho años—los labios de Ninfa temblaban—, y Josefina ni siquiera tiene los doce. ¿Cómo puede la gente ser tan mala y querer desquitarse con nosotros lastimando a nuestros hijos?—preguntó ahogando un sollozo—. Josefina no tenía dónde esconderse, Freddie. Hasta en la escuela, su maestro la llamó aparte y le dijo que había escuchado que su mamá y papá tenían problemas en la iglesia.

—¿Y cómo es que ella nunca nos dijo?—sentí un gran peso por dentro—. ¿Por qué no nos avisó?

Ninfa ya no pudo contener las lágrimas.

—Josefina vió todo el dolor por el que tú y yo estábamos pasando y no quiso lastimarnos más. Trató de protegernos, Freddie, y se guardó todo. Eso es lo que le estaba ocasionando las migrañas.

Ninfa me tocó el brazo.

—Pero el Señor Jesucristo hizo un milagro en nuestra hija. Al momento en que Josefina confesó aquel odio y le pidió al Señor Jesucristo que la perdonara y que le ayudara a perdonar a toda la gente que nos había lastimado, sanó instantáneamente. La migraña desapareció y no le ha vuelto. Los doctores la examinaron y no pudiendo encontrar nada mal en ella, la dieron de alta.

No dije nada y caminamos hacia la recámara. Casi se me salía el corazón al ver a Josefina, tan delgada y tan pálida en su cama.

—Mi hija—la envolví en mis brazos y la besé—, nunca lleves las cargas de esta vida en tus hombros: dáselas al Señor Jesucristo.

—Yo sé, papá—me besó y luego a su madre—. Los quiero mucho a los dos.

Esa noche dimos gracias al Señor Jesucristo por haber sanado a nuestra hija y por mantener a nuestra familia unida en medio de la tormenta.

* * *

El viernes por la mañana sonó el teléfono muy temprano. Era Raider.

—Freddie, ¿puedes darme un poquito de tu tiempo para que hablemos hoy? ¡Es muy importante!

—Vente para acá—le dije—, te estaré esperando.

Cuando llegó pude ver su semblante acongojado.

—No sé ni cómo empezar, Freddie. Mejor te lo digo a las claras. Unos miembros de tu iglesia me llamaron para una junta privada. Quieren que yo sea su pastor. Fue una tentación muy grande, Freddie, pero comprendí que esto no era de Dios. Los reprendí y les advertí del juicio de Dios. Pienso que si te tratan así a ti que eres su padre espiritual, ¿qué puedo esperar yo de ellos? Yo no quiero una bola de rebeldes conmigo. ¿Qué hago?

—La mayoría de estos hombres no son rebeldes—le dije a Raider—. Son víctimas de una mentira satánica. Raúl les envenenó la mente. Ellos lo vieron muy cortés, bien vestido y con una memoria fantástica para retener las Escrituras; así que se la tragaron. Pero si haces lo que te digo, Raider, el Señor Jesucristo va a ser glorificado.

—Haré lo que tú me digas, Freddie—y puso atención.

—Regresa al grupo y diles que tú los vas a pastorear, pero que el nombre de la iglesia va a ser "Capilla Victoria."

Los ojos de Raider se abrieron con asombro y no pude evitar echarme a reír.

—Aún vas a estar bajo la protección del Templo Victoria—le aseguré—, pero de esta manera tú vas a tener tu propia iglesia y ellos su nuevo pastor. El plan de Satanás es destruir este ministerio—le recordé—. Pero en la perfecta sabiduría de Dios, en vez de una iglesia tendremos dos.

*　　*　　*

Mi padre espiritual, el pastor Sonny Arguinzoni, llegó de Los Angeles esa tarde con el pastor Rubén Reyna. Cuando Sonny me vió, sonrió y me dio un fuerte abrazo, y con su acento puertorriqueño, preguntó:

—¿Cómo estás? ¿Estás bien?

—Lo único que te puedo decir es que no soy culpable—traté de tragarme el nudo que sentía en la garganta.

Me dio otro abrazo cariñoso.

—Te creo, Freddie. Y siempre estaré de tu parte.

Sentí el amor de Dios en las palabras de Sonny y no pude contener mis lágrimas. Con su mano en mi hombro, Sonny comenzó a orar en lenguas. La dulce presencia del Espíritu Santo llenó todo el cuarto.

—Mírate, Freddie—la voz de Sonny era amable—. Estás hecho pedazos por dentro, pero ésta es la clase de hombres que usa Dios. Tú aún no lo puedes ver porque estás sufriendo, pero vas a ser más sensible que nunca al movimiento del Espíritu Santo en tu vida—Sonny comenzó a emocionarse—. Lo que veo que está pasando es que en medio de esta tormenta, el Espíritu Santo va a separar el trigo de la cizaña en tu iglesia. Va a limpiar Su casa. Y entonces, una unción tremenda va a venir sobre tu vida y sobre aquéllos hermanos que son fieles.

Levantó sus manos al cielo y gritó:

—¡Aleluya! ¡Este ministerio va a crecer, Freddie!

Esa tarde, la iglesia se llenó de gente durante el servicio de alabanza. Todos querían escuchar lo que el pastor Sonny tenía que decir.

—He venido a hablar de lo que Dios ha puesto en mi corazón—le dijo a la congregación—. Dios nos amonesta en Su Palabra: "No toquéis a mis ungidos..."[2]. Tengan cuidado de cómo hablan de los siervos de Dios. Freddie es el hombre que Dios ha escogido para este trabajo en esta ciudad. Si por ignorancia o coraje has hablado mal en contra de tu pastor, pero ahora estás dispuesto a arrepentirte, Dios está presto para perdonarte. Si tú escoges continuar con tu rebeldía, déjame decirte qué es lo que te espera. Número uno: algunos de ustedes se alejarán de Dios, quizás para nunca regresar. Número dos: otros se convertirán en vagabundos; es decir, irán de iglesia en iglesia, sin echar raíces para el crecimiento cristiano

---

[2] 1 Crónicas 16:22, Biblia de Las Américas

en ninguna. Número tres: otros se irán y regresarán hechos pedazos por las circunstancias de sus vidas.

—Ven aquí, Freddie—hizo una seña para que me le acercara—. También tú, Ninfa.

Poniendo un brazo sobre mis hombros y el otro sobre los de Ninfa, se enfrentó a la gente:

—Escúchenme bien. Me regreso a California mañana por la mañana. Si ustedes no quieren a su pastor ni a su esposa, me los llevo conmigo. Allá en Los Angeles, California, hay mucha gente que los ama y quiere que regresen. Nada más avísenme y yo me los llevo ahora mismo.

Algunos miembros de la iglesia comenzaron a salir de sus bancas y se dirigieron al altar. Unos lloraban silenciosamente, otros a gritos, pidiéndole a Jesucristo que los perdonara. Uno por uno, todos vinieron a nosotros, expresándonos su amor. Todos menos Pedro y unos cuantos de sus seguidores. Salieron del Templo Victoria y nunca regresaron.

*   *   *

Nuestros estudiantes del Instituto Bíblico regresaron ese fin de semana a terminar sus últimos tres meses de escuela.

A media semana vino a visitarme David Pérez.

—Satanás hizo todo lo posible por destruir este ministerio, ¿verdad, Freddie?

—Usó su mejor artillería—asentí—. Usó a los ex-drogadictos que recogí de las calles para lastimarme; para que me enojara y dejara de amarlos. Si yo hubiera permitido que el coraje y el odio entraran en mi corazón, mi ministerio con los drogadictos se habría terminado. Pero gracias a Dios el plan del diablo no funcionó. ¿Ves, David? No es el amor de

Freddie; es *el amor de Dios* en mi vida lo que atrae al drogadicto a Cristo Jesús.

—¡Gracias a Jesucristo!—comentó David.

—Sí, amén—le contesté emocionado—. Y no vamos a quedarnos de brazos cruzados. ¡Vamos a pelear! Juan Rivera ya fijó la fecha y el lugar para presentar a toda la ciudad *"El Drogadicto"*, un drama de seis actos que muestra cómo es la vida de un vicioso. Harold Velázquez y su grupo musical cristiano "Los Latinos", van a ministrar con la música; así que prepara a tus ujieres, David.

—¡Amén!—dijo David contagiado con mi entusiasmo—. ¡Amén!—exclamó en voz alta.

—Lo vamos a hacer en grande—y le enseñé el plan—. Vamos a poner carteles en cada conexión donde venden las drogas, en cada cantina, en cualquier lugar donde la gente tiene necesidad. Y vamos a regalar un disco que tiene grabado el testimonio de Ninfa por un lado y el mío del otro, a cada una de las personas que asistan esa noche. Es nuestra manera de decirles que Jesucristo los ama, que Él tiene el poder para cambiar sus vidas y para conservar a los que quieren ser conservados. Estamos metidos en una batalla espiritual, David, y no hay vuelta atrás. En el nombre de Jesucristo no hay ningún enemigo que nos pueda derrotar. ¡Adelante en el nombre de Cristo Jesús! ¡Vamos a conquistar a Texas para CRISTO!

Capítulo 11

Id y Haced Discípulos

Id, pues, y haced discípulos de todas las
naciones, bautizándolos en el nombre del
Padre y del Hijo y del Espíritu Santo.

Mateo 28:19

Biblia de Las Américas

—¡Me gradué con honores, Freddie!—dijo Juan
Garza y orgullosamente me mostró su diploma.

—¿No me dijiste que eras muy bruto para hacerla
en el Instituto Bíblico?— lo vacilé.

—¡Amén, Pastor Freddie!—Juan Garza sonrió de
oreja a oreja—. Pero el Señor Jesucristo me ayudó.

Para el fin de semana, todos nuestros graduados
habían llegado.

—¿Y qué han decidido hacer ustedes, ahora que han
terminado los estudios?—les pregunté.

—Yo no sé los demás—contestó Juan Rivera
rápidamente—, pero yo sé que el Señor Jesucristo
quiere que me quede a ayudarte en la iglesia.

—Yo también—añadió Manuel Zertuche—. Tra-
bajaremos en el área del ministerio que más nos
necesite.

—En ese caso—voltié a ver a Juan Rivera—, te voy
a *discipular*[a] como asistente de pastor. Tú, Manuel,

---

[a] *discipular*: este término, que como verbo no existe en la
lengua española, es usado en algunos círculos cristianos
como sinónimo de "formar", "hacer" discípulos

encárgate del Centro Victoria como director, de esa manera yo tendré tiempo de predicar en la cárcel del condado y en las prisiones del estado.

—¡Estoy listo!—acordó Manuel—. ¡Vamos a darle!

—Freddie—dijo Juan Garza muy emocionado—. Yo estoy pensando en regresar a mi pueblo. Nadie ha llevado el Evangelio a las calles de Laredo, Texas. Esa ciudad necesita un Templo Victoria y un Centro Victoria.

—¡Fantástico!—grité—. ¡Gracias, Señor Jesucristo!

—Yo también ando buscando un edificio aquí en San Antonio—dijo Raider sonriendo—. Muy pronto vamos a tener una Capilla Victoria en el Sur de la ciudad.

El corazón se me llenó de gozo.

—¿No les dije desde el principio que Dios iba a usar sus vidas para hacer Su Obra; que un día íbamos a plantar Iglesias Victoria y Centros Victoria en todo Texas? Pues ahora estamos viendo cumplirse el principio de esa visión.

—¡Gloria a Dios!—gritaron todos unánimemente—. ¡Aleluya!

—Pero que nunca se les olvide—les advertí—: Dios nos quiere en los *barrios*[b], alcanzando a la gente pobre. Abranles su casa y ayúdenles en sus necesidades. Comiencen sus estudios bíblicos allí. Gánenselos para Cristo y empiecen a tener servicios de alabanza en su casa; luego, busquen un edificio pequeño donde puedan tener sus servicios de iglesia. No se esperen hasta tener un edificio que parezca

---

[b] *barrio*: parte o distrito de una población grande. En San Antonio, la parte de la ciudad donde predominan los méxico-americanos

iglesia para comenzar su ministerio; empiecen en su propio hogar.

Yo estaba emocionado de ver que los muchachos habían captado la idea de lanzarse a otras ciudades, pero había algo más y de suma importancia que tenía que compartir con ellos.

—Necesitamos hablar de un problema que va aumentando cada vez que vienen muchachos nuevos. Muchos quieren ser predicadores o maestros de la Biblia, pero no todos tienen el dinero para ir al Instituto Bíblico. He luchado en la oración acerca de esto por mucho tiempo y el Señor Jesucristo me ha hecho sentir que yo, como su pastor, y ustedes como sus líderes espirituales, somos responsables de entrenar a nuestros futuros ministros. Sería mucho más fácil conseguir dinero para enviarlos al Instituto Bíblico, pero al fin he llegado a aceptar que no es eso lo que Dios quiere que hagamos.

Los muchachos guardaron silencio, pero tenían puesta en mí toda su atención.

—La Palabra de Dios dice—continué—que Jesucristo dio a algunos el ser apóstoles; a otros, profetas; a otros, evangelistas; a otros, pastores y maestros. Con el fin de "...capacitar a los santos para la obra del ministerio, para la edificación del cuerpo de Cristo"[1]; por lo tanto, ahora vamos a *discipular* a los líderes de nuestra propia iglesia; pastores, maestros y todo lo demás.

—¿Eso quiere decir que ya no vamos a mandar a nuestros muchachos al Instituto Bíblico para nada?—preguntó Juan Rivera sorprendido.

—Así es—afirmé—. Pero no me malinterpreten.

---

[1] Efesios 4:11-12, Biblia de Las Américas

¡Bendito sea Dios por los Institutos Bíblicos! Les doy crédito por aceptar la obligación que muchos de nosotros los pastores, hemos descuidado por negligencia.

Los muchachos escuchaban atentamente. Yo sabía que estaban midiendo cada palabra mía a la luz de las Escrituras.

—Aquí, en el Centro Victoria—les dije—, no vamos a continuar evadiendo la responsabilidad de *discipular* a nuestros propios hombres para el ministerio, pues los pastores, maestros y evangelistas deben reproducirse dentro de la iglesia.

—¿Qué va a pasar con José Luis Flores, Marcos González y Daniel Ibarra que aún están en el Instituto Bíblico? —preguntó Juan Garza—. ¿Qué vamos hacer con ellos?

—Pienso que deben terminar sus estudios —le contesté—. Pero después de que se gradúen no enviaremos a nadie más.

Los muchachos se miraron uno a uno con asombro.

—¿Cómo vamos a *discipular* hombres para el ministerio? —Manuel rompió el silencio.

—¿Cómo lo hizo Jesucristo? —le pregunté—. ¡Te diré cómo lo hizo! El Señor Jesucristo pasó muchas horas con sus discípulos. El les enseñó y ellos aprendieron viéndolo. Los discípulos miraron todo lo que Cristo Jesús hacía y cómo lo hacía y siguieron su ejemplo. Oraban y ayunaban porque El oraba y ayunaba. Predicaban en las calles porque El predicaba en las calles. Sus discípulos tuvieron entrenamiento práctico para predicar en las calles, enseñar, testificar, aconsejar y para vivir la vida cristiana. Una vez que los discípulos estuvieron preparados, Jesucristo les dijo: "Id, pues, y haced discípulos..."[2] y así es como lo haremos.

—Jesús dijo —continué— que cada discípulo ..."cuando termine sus estudios llegará a ser como su maestro"[3]. El apóstol Pablo aprendió a *discipular* por el ejemplo de Cristo Jesús. Pablo escribió a la Iglesia de Corinto: "Sed imitadores de mí, como también yo lo soy de Cristo"[4]. Dondequiera que iba, Pablo plantaba iglesias *y discipulaba* hombres para pastores, para que cuidaran del rebaño. Le encargó a su discípulo Timoteo: "Lo que me has oído decir..., encárgaselo a hombres de confianza que sean capaces de enseñárselo a otros"[5]. Cristo Jesús nos ha encomendado hacer discípulos que vayan y reproduzcan discípulos, quienes asimismo, reproducirán otros discípulos reproduciéndose hasta que regrese Cristo el Señor.

—Esta enseñanza es fuerte—suspiró Manuel Zertuche—. Pero es bíblica, Freddie.

—Es cierto—dijeron a coro los muchachos—. ¡Amén! ¡Amén!

—Ahora voy a hacerte una pregunta, Manuel —me dirigí a él—. ¿Cómo te *discipulé* a ti? No era un sistema estructurado sino una relación como la de padre e hijo. Cuando tú tenías una pregunta o alguna duda, venías conmigo. Yo me di tiempo para enseñarte de hombre a hombre. ¿Recuerdas cómo estudiábamos juntos la Biblia, tomando una taza de café bajo el árbol? Hablábamos de esto hasta cuando íbamos en

---

[2] Mateo 28:19, Biblia de Las Américas
[3] Lucas 6:40, Dios Habla Hoy
[4] 1 Corintios 11:1, Biblia de Las Américas
[5] 2 Timoteo 2:2, Dios Habla Hoy

el carro. Luego te puse a hacer lo que se te había enseñado. ¿Recuerdas al comenzar, cuando te enseñé a testificar en las calles? Primero ensayamos en la casa, luego te llevé a la calle Guadalupe y te mostré con ejemplos cómo hacerlo. Luego te llegó tu turno para testificar.

Todos soltaron la carcajada y asintieron con la cabeza.

Señalando a Juan, añadí:

—¿Recuerdas cuando tuvimos la cruzada navideña en las calles del centro de la ciudad? Primero te enseñé lo que íbamos a hacer y luego fuimos y lo hicimos. Te metí a testificar y predicar en las pequeñas campañas evangelísticas.

—Y tú —voltié a ver a Juan Rivera—, ¿te acuerdas cuando te enseñé a testificar en las escuelas públicas? Primero te llevé conmigo para que me observaras y luego tú diste tu testimonio. Una vez que aprendiste a hacer la presentación y a aconsejar a los estudiantes, me hice a un lado y dejé que tú tomaras las riendas.

—En ese entonces no le llamábamos *"discipular"*, pero eso era lo que estábamos haciendo. Yo los *discipulé* desde el primer día que llegaron al Centro Victoria, como un padre enseña a sus hijos, y ustedes mismos son la prueba viviente de que esto funciona.

—¡Amén! —se miraron unos a otros, afirmando con la cabeza—. ¡Amén!

—El apóstol Pablo se llamaba a sí mismo "padre"para con sus discípulos —continué——. El escribió a la iglesia:

"Pues aunque ustedes tengan diez mil maestros que les hablen de Cristo, padres no tienen muchos. Padre de ustedes en cuanto a su fe en Cristo Jesús, lo soy yo por haberles dado las buenas noticias de la salvación. Así pues, les ruego que sigan mi ejemplo"[6].

—Predicadores y maestros los hay de sobra, pero lo que la iglesia necesita son más "padres espirituales" —enfaticé—. La iglesia es una familia. Nuestros discípulos son nuestros hijos espirituales. De hecho —sonreí—, mientras ustedes estaban en el Instituto Bíblico, he *discipulado* a sus hermanos "menores". Les enseñé de hombre a hombre y les proporcioné las herramientas que necesitaban para el ministerio. ¡Pancho ya está listo para pastorear una iglesia Victoria en el lado Este!

Los muchachos estaban sorprendidos y añadí:

—Pancho está tan preparado como cualquiera de los que se han graduado del Instituto Bíblico. Durante el día, él y los otros tenían entrenamiento práctico. Por las noches estudiaban los comentarios bíblicos y los libros que yo les asignaba. Escribían reportes de libros y aprendieron a hacer bosquejos de sermones. Escuchaban *cassettes*[c] educativos y escribían resúmenes e informes de éstos, y siempre estaba a la mano cuando me necesitaban.

—Espérense a que vean la biblioteca de libros y *cassettes* que estamos reuniendo—sonreí—: comentarios bíblicos, diccionarios, libros y *cassettes* sobre oración, doctrina cristiana, evangelización, *discipulado*, apostolado, familia cristiana, crecimiento de la iglesia; cualquier tema relacionado con el crecimiento cristiano y el ministerio. Siempre ando buscando nuevo material de estudios que pueda ser útil para mis discípulos.

---

[6] 1 Corintios 4:15-16, Dios Habla Hoy

[c] *cassettes*: Cajitas de plástico que contienen una cinta magnetofónica para registrar y reproducir el sonido. Grabaciones

—Una pregunta—Manuel tomó la palabra—: ¿Todos estos *batos*[d] tienen que comprar sus propios libros y *cassettes* de enseñanza, Freddie?

—No —negué con la cabeza—. No tienen dinero. Esta es una relación de padre a hijo. ¿Le cobrarías tú a tu hijo los libros que le compras para la escuela o por cualquier otra cosa que necesite mientras crece? ¡No! Un padre provee por su hijo. Yo les doy a mis discípulos los libros, los *cassettes*, los lápices, los cuadernos y hasta la grabadora si es que no la tienen. Ustedes también van a tener todo esto y me van a ir entregando reportes de los libros que lean.

—¡No, hombre, Freddie! —Manuel se echó a reír moviendo la cabeza de lado a lado—. Nosotros pensábamos que ya nos habíamos graduado en el Instituto Bíblico; y ahora nos dices que apenas comenzamos a aprender.

Me carcajeé al ver la expresión de sus caras.

—¡Esa es la cosa! Ninguno de nosotros ha llegado a la meta; nunca terminaremos de aprender. Yo nunca dejo de estudiar. Lo que aprendo y lo que encuentro en la Biblia o en los libros cristianos y en los *cassettes*, se lo paso a mis discípulos. Tú, a tu vez, se los vas a pasar a los tuyos.

—¡Pero escuchen! —les advertí—. ¡No van a producir discípulos con tan sólo darles libros y *cassettes*! El DISCIPULADO[e] y EL DISCIPULAR SE CAPTAN, NO SE ENSEÑAN. El *discipulado* es el estar como alumno. *¿Cómo podrá tu discípulo captar el discipulado si no te ve a ti mismo ser un estudiante?*

---

[d] *batos*: muchachos
[e] *discipulado*: como nombre; el que está recibiendo entrenamiento; estudiante

Lo mismo con el *discipular* tus hombres no harán discípulos si no te ven *discipulando*. Al verte hacerlo ellos lo captan.

—¿Comprenden lo que trato de decirles? —continué—. Si miran a su alrededor se van a dar cuenta de que ya han estado *discipulando*. Siempre andan muchachos alrededor de ustedes observando, escuchando y haciendo lo que ustedes hacen.

Los muchachos sonreían y afirmaban con la cabeza.

—Una de las claves para hacer discípulos es incluirlos en el ministerio —enfaticé—. Tu discípulo no la va a captar a menos que lo pongas a evangelizar, a *discipular* y a visitar a las nuevos cristianos. Alcanzas a la gente para Cristo por medio de la evangelización; reproduces líderes a través del *discipulado*; y fortaleces a la gente en su relación con Cristo y la iglesia por medio del ministerio de visitación. Tus discípulos tienen que participar en todas estas áreas; y producir resultados; antes de estar listos para ser lanzados a otros lugares.

—Pero, Freddie —Juan Garza tomó la palabra—, ¿cuánto tiempo se tarda uno en preparar a un hombre?

—Eso depende del individuo —le contesté—. Pero por lo general se le enseña lo básico de la vida cristiana, cómo ser cristiano, en seis meses. Lo preparas para que pueda *discipular* a otro hombre en lo básico, quien a su vez *discipulará* a otro hombre en lo básico y así sucesivamente. Pero si él siente el llamamiento a ser pastor, lo *discipulas* dos años y luego lo lanzas.

—Pero cuidado —los previne—. TODAS LAS HORAS QUE PASES ENSEÑANDO A TU DISCIPULO Y TODOS LOS LIBROS Y CASSETTES

QUE LE DES, SON INUTILES SI TU Y TU DISCIPULO NO TIENEN UNA VIDA DE ORACION Y AYUNO. Inicia cada día en oración con tu discípulo, por lo menos una hora. Ayuna por lo menos un día a la semana. Jesucristo, el Hijo de Dios, vivió una vida de oración y ayuno, y nos dejó el ejemplo a seguir. Somos sus discípulos, pero El no puede *discipularnos* a menos que pasemos un tiempo en oración con El.

—Pero tengan cuidado de tener esto presente: los discípulos deben ser reclutados para Jesucristo, no para Freddie ni para Manuel o Juan. Nosotros somos sus padres espirituales, pero un buen padre no domina a su hijo. Un buen padre—me eché a reír—, hasta quiere que su hijo salga mejor que él. Algunos de ustedes, muchachos, están saliendo mejor que yo, y cuando veo esto, me siento bien. Esa fue mi intención desde el principio.

Sonrieron y continué:

—Naturalmente no quiero que se esponjen como pavo real ni que se llenen de orgullo. Es por eso que los muchachos a quienes estoy *discipulando* para pastores son responsables de limpiar la iglesia también. Dan un buen sermón y todo el mundo los elogia, pero luego se van a limpiar los baños de la iglesia. Esto los mantiene en equilibrio.

Los muchachos aplaudieron y rugieron a carcajadas. A todos les había tocado su turno en el "comité de limpieza".

Cuando por fin se calmaron, me dirigí a Juan Garza:

—Antes de que te establezcas en Laredo, quiero que tu esposa comience a venir a la oficina. Quiero que Ninfa la *discipule* en la teneduría de libros y archivos, cartas de agradecimiento, y cómo contestar la correspondencia de las prisiones y todo el papeleo que se necesita para ayudar al funcionamiento del ministerio.

—Buena idea, Freddie —Juan Garza parecía complacido.

Manuel gritó:

—¡Gloria a Dios! ¡Vamos a hacerla, Freddie! ¡Vamos a hacer discípulos para Cristo!

—¡Amén! —todos se unieron en alabanza—. ¡Gloria a Dios!

Levanté mis manos hacia el cielo y los invité:

—Alabemos un rato al Señor Jesucristo.

Inmediatamente, el sonido de nuestras voces se elevó en armonía orando y glorificando a Dios. Sentimos la presencia del Espíritu Santo y un silencio apacible se esparció por todo el cuarto. Uno de los muchachos comenzó a cantar: "Es Señor, El es Señor... Cristo ha resucitado y es Señor". En breve, todos nos unimos a él en alabanza a Dios.

Me invadió una sensación de gratitud y reverencia.

—Gracias, Padre Celestial —oré——; gracias por abrir nuestro entendimiento.

*   *   *

Habíamos podido terminar otro dormitorio detrás del Centro Victoria de manera que ahora podíamos acomodar treinta camas para hombres y diez para mujeres. Sin embargo, el promedio de la población de la casa era casi siempre de cincuenta, y en los meses de invierno nos llegaba un total como de sesenta. Dormían en el piso de cada habitación pero nuestra ley era la de no rechazar nunca a nadie.

Habíamos añadido un baño con dos regaderas, dos excusados y dos lavabos. Manuel Zertuche era carpintero de oficio y de dos tablas gruesas de madera laminada, hizo unos roperos y unos estantes de zapatos para cada litera de cada dormitorio. Cuando los terminó, José Luis los pintó.

Usando colchas viejas y ropa donada mamá y Ninfa hicieron sobrecamas de parches para cada cama. Nuestros servicios eran aún primitivos en muchos aspectos, pero para nuestros muchachos era su hogar.

Con Manuel a cargo del Centro Victoria, Ninfa, los niños y yo, nos pudimos regresar a nuestra casita de 658 N. San Eduardo. La habían usado varias de las familias de algunos muchachos que estaban en el programa pero ahora estaba disponible.

Luis Salazar, un joven peruano al que apodábamos "Luis Perú", se vino a vivir con nosotros, pero, aún así, teníamos más privacidad ahora de la que habíamos tenido en el Centro Victoria. Nuestros hijos la necesitaban y había además otro motivo: Ninfa estaba embarazada. El bebé debería nacer en noviembre y todos estábamos ansiosos por su llegada.

Decidí llevarme todo el trabajo de oficina, archivos y equipo a nuestra casa.

—De esta manera —le expliqué a Ninfa— puedo trabajar en casa y no perderme de ver crecer a mis hijos.

Riéndome de mis propios pensamientos añadí:

—Quiero tener recuerdos de cuando Pablo comience a fijarse en las chamacas. Y debo tener cuidado con Josefina porque se está convirtiendo en una señorita muy guapa.

—Me encanta la voz que Dios le ha dado a nuestra hija —dijo Ninfa con un brillo especial en los ojos—, y le pido al Señor Jesucristo que Josefina la use para cantarle todos los días de su vida.

Asentí con un movimiento de cabeza.

—Yo creo que Dios quiere que Josefina grabe un disco algún día —le dije a Ninfa—. Lo trae dentro. Pero ahora quiero que te concentres en ayudarla a convertirse en la mujer para lo cual fue creada. Ella ama a Dios, ora y lee su Biblia. Pero enséñale también el arte de la cocina y el de ser una buena ama de casa para que algún día pueda ser una esposa cristiana y una buena madre.

—Mamá ya le enseñó a hacer *tortillas*[f]—sonrió Ninfa.

—Gracias, Señor Jesucristo —me alegré—. Gracias, Cristo Jesús.

Al caer la noche, la voz de mi hijo interrumpió mi oración:

—Papá.

Estaba parado en la entrada. Tímidamente me hizo señas para que me acercara. Fui a donde estaba y él miró cuidadosamente para ambos lados, asegurándose de que nadie estuviera escuchando nuestra plática. En voz baja me dijo:

—Quiero aprender a tocar el piano.

Puse mis brazos alrededor de él y le dije:

—¿Crees tú que si le pedimos al Señor Jesucristo que te enseñe a tocar el piano lo hará?

Con la confianza de un niño asintió con la cabeza. Tomé sus manitas entre las mías y oré:

—Padre Santo, en nombre de tu Hijo Jesucristo, dale a Pablo la habilidad para aprender a tocar el piano y que use su talento para tu gloria solamente.

—¡Amén! —Pablo estuvo de acuerdo.

---

[f] *tortillas*: especie de pan sin levadura en forma de círculo y aplanado, hecho de masa de harina de trigo o de maíz. En San Antonio son más comunes las de harina de trigo

Cuando mamá se enteró del deseo de Pablo, sintió que Dios la inspiró a comprarle un piano. Inmediatamente Pablo comenzó a practicar varias horas al día, aprendiéndose diferentes melodías de oído. No había duda de que Dios le había dado el talento.

*   *   *

Los primeros días de julio recibí una emotiva llamada telefónica y rápidamente llamé a junta con todos los muchachos.

—Vamos a hacer una campaña evangelística en la ciudad con David Wilkerson en diciembre—les anuncié.

—¿David Wilkerson? —a Juan Rivera le cogió de sorpresa—. ¿Qué no es él el predicador de *La Cruz y el Puñal?*[g]

—El mismo—. Sonreí—. El es el hombre que Dios usó para llevar el Evangelio del Señor Jesucristo a los *tecatos*[h] de las calles de Nueva York. Ha oído hablar de nuestro trabajo y está interesado en ayudarnos a alcanzar a los adictos de San Antonio. Va a ser el orador principal de nuestra campaña en diciembre.

—¡Gracias, Señor Jesucristo! —los muchachos aplaudieron con júbilo.

—¿Quieres que te consiga el Auditorio Municipal? — Juan Rivera se ofreció como voluntario.

—¡Seguro que sí! —acepté—, y vete por David Pérez que quiero hablar con él.

David, un mecánico de aviación de la Base Kelly de la Fuerza Aérea, había llegado al encuentro con el

---

[g] *La Cruz y el Puñal*: título del libro y película escritos por David Wilkerson

[h] *tecato*: vicioso; adicto a la heroína

Señor Jesucristo como su Salvador Personal en el Templo Victoria. Ya tenía yo dos años de estarlo *discipulando*. Era el ujier principal y estaba *discipulando* a doce de nuestros ujieres para el liderazgo en la iglesia.

A estos hombres se les entrenaba en la organización y el manejo de todas las actividades relacionadas con las funciones de la iglesia y las reuniones evangélicas en los *barrios*. Ellos eran *discipulados* en cómo evangelizar y aconsejar a aquéllos que venían y aceptaban a Cristo como su Salvador.

Nuestras seis ujieres mujeres también habían sido *discipuladas* para que fuesen parte del comité de bienvenida, para aconsejar, conducir a otras mujeres al conocimiento de Cristo, y orar por ellas en el altar.

David *discipuló* a todos ellos con el amor y la compasión de un padre por sus hijos. Reunía a las familias con la suya para los estudios bíblicos y compañerismo. Era un grupo altamente motivado y con discípulos propios.

David ardía por el Señor Jesucristo y yo sabía que se iba a entusiasmar muchísimo con la campaña de David Wilkerson. El tendría a su tropa lista.

Cuando llegó a mi casa esa noche, ya había oído la noticia y brincaba de entusiasmo.

—Tú sabes qué hacer —le dije—. Prepara a tus ujieres, hombres y mujeres. Este evento va a ser en grande.

—Ya está todo—sonrió de oreja a oreja—. Y ya tienen sus uniformes listos. Los muchachos tienen sus pantalones negros con sus camisas y boinas rojas. Las muchachas tienen sus guantes blancos y sus vestidos largos, rojos también. ¡Todo está en orden!

El hermano Lee estaba escuchando en la cocina y asomó la cabeza por la puerta.

—Freddie —preguntó—,¿por qué tienen que ser camisas rojas, boinas rojas y vestidos rojos? ¡Todo rojo!

—Para que la gente pregunte así como acabas de hacerlo tú —me reí—. Y tener nosotros la oportunidad de decirles que el rojo simboliza la sangre que nuestro Señor Jesucristo derramó en el Calvario. La Biblia dice: "…y la sangre de…Jesucristo nos limpia de todo pecado"[7]. ¡El poder está en la sangre de nuestro Señor Jesucristo!

—¡Es todo! —el hermano Lee alzó las manos al cielo y regresó a la cocina. Desde ahí podíamos oírle gritar—: ¡Gracias, Señor Jesucristo!

Teníamos cuatro meses para prepararnos. David tenía que entrenar más ujieres, hombres y mujeres, para el gran evento.

—Va a ser una noche inolvidable, Freddie— David sonreía mientras se dirigía a la puerta—, y vamos a estar listos cuando llegue.

*   *   *

Un atardecer, al terminar de cenar, "Luis Perú" se dirigió a mí:

—¿Podría hablar contigo al ratito?

—¿Por qué no ahora? —me levanté—. Vamos a dar una vuelta. Conduje el carro hacia el Lago Woodlawn donde estaríamos tranquilos—. ¿Qué es lo que traes?

—Quiero que me *discipules* para el ministerio de tiempo completo, Freddie—. Luis estaba muy serio.

—Si tú quieres que te *discipule* —le advertí—, voy a esperar cuatro cosas de tu parte: sumisión,

---

[7] 1 Juan 1:7, Dios Habla Hoy

obediencia, compromiso y lealtad[8]. Ahora, tú me dices si estás dispuesto a aceptar estas condiciones. Si no, te comprendo y seguimos como hasta ahora.

—He visto cómo trabajas con tus discípulos, Freddie —movió la cabeza—, y sé que eres estricto. Pero también veo que Dios está usando sus vidas y no quiero quedarme fuera.

—Hay otra cosa —lo previne—: Estás muy joven y te pido que me des un año sin tener novia. No quiero parecer un dictador pero yo sé, por los años de experiencia que tengo trabajando con mis discípulos, que una novia los va a distraer en su búsqueda de Dios y en el estudio de la Palabra. En vez de orar van a hablar por teléfono; en vez de estudiar, van a salir de paseo. Ese primer año de entrenamiento es lo que puede hacer que triunfes o fracases en tu ministerio.

Luis sonrió mansamente.

—No ando buscando novia, Freddie; al menos no por ahora. De veras quiero que me enseñes.

—No quiero que me malinterpretes Luis—, le sonreí—. Tú sabes que creo en el matrimonio. Es más, uno de los requisitos para ser pastor, según la Biblia, es que sea "...marido de una sola mujer, ...que gobierne bien su casa..."[9]. ¿Ves, Luis? Dios compara la responsabilidad de un pastor con la de un esposo y padre. Por medio del matrimonio tú vas a aprender primero a pastorear a tu esposa y tu hogar; después estarás preparado para pastorear Su iglesia. Tú sabes que jamás he lanzado a ningún hombre a abrir un ministerio a menos que esté casado. Pero tendrás tiempo suficiente en tu segundo año para empezar a

---

[8] Lucas 9:23, Biblia de Las Américas
[9] 1Timoteo 3:2,4, Biblia de Las Américas

pensar en eso. El Señor Jesucristo te mandará la chica apropiada.

—Gracias, Freddie —sonrió Luis.

—¿Por qué crees —ahora fui yo el que sonrió— que te he tenido enseñando las quince lecciones del estudio bíblico a los muchachos nuevos que vienen a la iglesia? y ¿por qué crees que te he puesto de encargado de la iglesia de los niños y del ministerio de las películas y los *cassettes* de enseñanza? Cada vez que te he llevado conmigo a dar la vuelta te he estado implantando la visión de lo que Dios nos ha llamado a hacer. Yo te comencé a *discipular* desde hace mucho tiempo.

Se veía asombrado y a la vez contento.

—¿Sabes qué, Luis? —continué—, te voy a dar un libro o *cassettes* de enseñanza para que me hagas un reporte por escrito. Cuando lo hayas terminado te doy otro libro o *cassette*. De ahora en adelante quiero que te sientes a escuchar cualquier conversación o consejo que le dé a cualquiera de mis líderes. Pon atención, y absorbe todo lo que puedas, y retén todo lo que recibas. Aprende de sus victorias y de sus fracasos. No temas hacerme cualquier pregunta que tengas cuando sea.

—Gracias, Señor Jesucristo —sonrió Luis enderezándose de hombros—. Gracias, Freddie.

Cada mañana, los líderes de las diferentes áreas del ministerio venían a mi casa con sus discípulos para orar y luego tomaban café y desayunaban. Hablábamos de lo que estaban haciendo y de sus planes para el día. Cuando cometían algún error, los corregía con la Escritura y los alentaba.

Después, cada líder se iba con su discípulo a un lado; ya a un rincón de la casa, al portal o al patio, para enseñarle de la Biblia antes de salir a sus diferentes ministerios.

Diariamente me daba tiempo para hablar con mis discípulos sin que sus discípulos estuvieran presentes. Discutíamos los problemas y las necesidades principales de nuestra gente, los asuntos difíciles de la vida y de la muerte a los que nos enfrentábamos al ministrar. Con las Escrituras les enseñaba a aplicar el mensaje sanador del Señor Jesucristo, al mundo sufriente que nos rodea.

*   *   *

La campaña evangelística de David Wilkerson se aproximaba. Ya habíamos rentado el Auditorio Municipal, y dos semanas antes del gran evento, se distribuyeron ocho mil carteles por toda la ciudad. Los periódicos, la radio y la televisión, anunciaron la campaña con una semana de anticipación, y tres días antes del evento, inundamos la ciudad con cincuenta mil volantes.

En medio de los preparativos, Ninfa dio a luz a nuestro hijo Jubal y yo le pedí a David Wilkerson que lo dedicara al Señor Jesucristo durante la campaña.

Mi pastor, Sonny, vino en avión desde Los Angeles. El y yo testificaríamos primero; después, Dallas Holm cantaría y el hermano David Wilkerson predicaría.

Más de cuatro mil personas llenaron el Auditorio Municipal. Me maravillé al ver a David Pérez supervisando a sus ujieres, hombres y mujeres. David ensayó con ellos semanas antes y ahora se movían con precisión dirigiendo a la gran multitud. Los vestidos rojos de las muchachas y las camisas y boinas rojas de los muchachos se distinguían fácilmente en la muchedumbre. Coordinaban con los arreglos florales de brillantes claveles rojos que decoraban cada lado del escenario.

David Wilkerson se acercó al micrófono y llamé a Ninfa para que se nos uniera en el escenario con Jubal. El hermano David tomó a nuestro pequeño hijo en sus brazos y oró:

Señor Jesucristo, esto es bíblico: que le regresemos a nuestros hijos para que sean dados y bendecidos. Te damos gracias, Señor Jesucristo, por bendecir a estos padres. Padre Santo, este niño podía haber nacido adicto a las drogas. Cientos de niños nacen adictos a las drogas por el flujo sanguíneo de sus madres. Estos niños lloran al retirarse de las drogas, y ¡ay, Señor! Esto es algo que sus padres han considerado. Sin Cristo Jesús, este niño podía haber nacido drogadicto y ahora, mi Dios, qué diferencia con Jesucristo. Gracias, Señor Jesucristo, por esta criatura. Oramos con la oración que Usted nos dijo que oráramos. Por lo tanto, oro al Señor de la mies, que mande obreros a su campo. Y ahora tomo a Jubal en mis brazos y se lo entrego de nuevo a Usted diciendo, mándelo a su mies. Sus padres se lo entregan a Usted ahora mismo. Amén.

El sermón de David Wilkerson le llegó directamente al corazón a la gente. Cuando el hermano David retó a la multitud para que aceptara al Señor Jesucristo como su Salvador, *tecatos* de muchos años pasaron al altar. En total, más de seiscientas personas respondieron a la invitación.

Yo había invitado a pastores de otras denominaciones de la ciudad a asistir a la campaña, con consejeros de sus propias congregaciones. Estos se acercaron al altar a orar e invitar a los recién convertidos a formar parte de sus iglesias. Varios de los drogadictos que aceptaron a Cristo se fueron a la iglesia de Pancho, otros a la de Raider y el resto se vino con nosotros al Centro Victoria.

*   *   *

Seis meses después, nuestros últimos tres muchachos estaban por graduarse en el Instituto Bíblico, José Luis Flores tenía pensado irse a ayudar a Juan Garza a Laredo, Texas. Marcos González partiría a Austin, Texas, para comenzar ahí un Centro Victoria y una iglesia. Daniel Ibarra había decidido regresarse a San Antonio después de la graduación. Ya había vendido todos sus muebles, había empacado y estaba listo para partir.

—Freddie —me llamó desde El Paso—, todos los pastores de los estudiantes van a venir a la graduación. ¡Cómo me gustaría que tú estuvieras presente!

Cuando llegué a El Paso, Daniel me llevó a dar una vuelta por los *barrios*. Insistía en la necesidad de abrir un Centro Victoria e iglesia en esa ciudad. Yo estaba completamente de acuerdo con él pero no le dije nada. Yo sabía de su lucha interior, pero era una decisión que él solo tenía que tomar. Rumbo a la graduación, Daniel reconoció por fin lo que estaba sucediendo.

—Se me acaba de caer la venda de los ojos —confesó—. Creo que Dios me quiere en El Paso.

—Sí, es Dios —lo animé—. Yo no te había dicho nada antes, Daniel, porque la decisión tenía que salir de ti. Cuando lleguen los tiempos difíciles, tú sabrás de corazón que el llamamiento vino de Dios y no de Freddie, y eso te dará fuerzas para seguir adelante.

Nos habíamos detenido ante un semáforo en rojo.

—¿Ves aquel borrachito recargado en la pared? —lo señalé con la mano—. Bien podría ser tu director de música. Y aquel *tecato* de la esquina; a lo mejor va a ser maestro de tu escuela dominical. Tienes a la congregación entera aquí mismo, en las calles de El Paso— sonreí—. ¡Dale, Daniel! Háblales de Cristo; que se salven, y luego *discipúlalos* para el ministerio, en el nombre de nuestro Señor Jesucristo.

*　　*　　*

Nuestra congregación ya era demasiado numerosa para nuestra pequeña iglesia. Yo había encontrado una vieja iglesia metodista en la calle Buena Vista que estaba a la venta, ¡pero pedían la cantidad exorbitante de $100,000 DOLARES EN EFECTIVO! El sentido común nos decía que no se podía comprar; pero yo tenía en el corazón la seguridad de que ésta era la iglesia que Dios quería darnos.

Cuando nuestra congregación se enteró, aceptó el reto. Todos pusieron manos a la obra. Los hombres y los adolescentes se organizaron para lavar carros. Los niños vendieron dulces y galletas. Las mujeres hicieron ventas de pasteles, *tamales*[i], trabajos manuales y demás. Manuel Zertuche organizó a un grupo de ex-drogadictos en tres turnos y los puso a vender "*raspas*[j] cristianas" en los *barrios*.

En medio de toda esta actividad, se nos quemó la iglesita de los niños. No hubo ningún herido pero los periódicos y los tres canales principales de televisión

---

[i] *tamales*: masa de maíz sazonada, rellena de carne guisada con especias y envuelta en hojas de maíz y cocida al vapor

[j] *raspas*: hielo molido o raspado bañado con jarabes de sabores

le hicieron mucha publicidad. La ciudad entera de San Antonio respondió. Recibimos dinero por correo aun hasta de las cantinas. La clientela había visto la noticia en la televisión, pasó el sombrero para recoger donativos y nos los mandó.

A principios de año pudimos comprar nuestro nuevo Templo Victoria. Dios había proporcionado un poco más de $77,000 dólares en efectivo y unos comerciantes cristianos habían firmado como avales del pagaré que cubría nuestro préstamo de $23,000. ¡Nadie más que el Señor Jesucristo pudo haber movido a algunos de los comerciantes más prominentes de nuestra ciudad para respaldar económicamente a una bola de ex-drogadictos!

—¡Toda la alabanza, honor y gloria es suya, Señor Jesucristo! —oré. ¡Estaba completamente emocionado!

Nuestra congregación sumaba seiscientas personas y seguía aumentando. La gente llegaba de todas partes de San Antonio; no sólo los adictos, los alcohólicos y sus familias, sino gente de toda clase.

Llamé a mis discípulos aparte y les recordé:

—Jesucristo les dijo a sus seguidores: "...vayan y hagan discípulos en todas las naciones..."[10]. Nosotros estamos llamados a *discipular* hombres de todos los caminos de la vida, ya sea que vengan como drogadictos o como gente "derecha"; ya vivan en las calles o en una mansión. Todo hombre es esclavo del pecado hasta que Jesucristo lo libere.

—Pero el gran número de gente que está viniendo a la iglesia ha ocasionado un problema —continué—. Los nuevos que llegan a la iglesia se pierden

---

[10] Mateo 28:19, La Biblia al Día

fácilmente entre la multitud. Queremos que todos se sientan bienvenidos, por lo tanto vamos a comenzar a tener compañerismo en los hogares de los *barrios* de toda la ciudad. Van a ser pequeños grupos de ocho a diez miembros con sus familias. Ahí se van a conocer unos a otros mientras estudian la Biblia juntos. Luego, cuando vengan a la iglesia, por lo menos conocerán ya a alguien del estudio bíblico.

—Organízalo—le dije a "Luis Perú"—. Pónle lo mejor que puedas pero rompe la rutina una vez al mes. Planea una actividad especial; una campaña en el *barrio*, algún drama en el patio, una película o un día de campo.

—¡Buena idea! —Luis estaba entusiasmado—. ¿Pero de dónde saco a los maestros?

—Vamos a utilizar a los muchachos que estamos *discipulando* para ser pastores —le expliqué—. El compañerismo en los hogares va a ser su campo de entrenamiento. Bajo nuestra supervisión, cada discípulo va a estar "pastoreando" una "mini iglesia". Lo que hagamos en el Templo Victoria, él lo va a hacer en su "iglesita". Su trabajo consistirá en satisfacer las necesidades espirituales de los miembros de su Compañerismo en el Hogar, es decir, irlos a visitar, predicarles, hacer llamamientos al altar para su salvación, orar por los enfermos, administrar la Cena del Señor. Ahora van a tener la oportunidad de poner en práctica todo lo que les hemos enseñado por medio del *discipulado*, pero a pequeña escala. Los soltamos lo suficiente para que prueben si tienen el llamado a ser pastores, y a la vez vamos a estar a la mano para ayudarles si se enfrentan con un problema que ellos no puedan resolver.

—¡Manos a la obra! —dijo Luis con entusiasmo.

—¡Andale! —lo animé—. Pero quiero que metas en esto a Miguel Hernández como maestro. Dios le ha dado un corazón de pastor. El problema es que le tiene miedo al fracaso.

—Miguel me dijo que quería que Dios lo usara en cualquier campo del ministerio excepto como pastor.

No discutí con él.

—Pero escucha, Luis, pónlo como maestro en el Compañerismo de los Hogares. Sin que Miguel se dé cuenta, vamos a estarlo *discipulando* como pastor. Jamás debemos perder la visión de lo que Dios nos mandó: "...vayan y hagan discípulos..."[11].

---

[11] Mateo 28:19, La Biblia al Día

Capítulo 12

El Grito de Batalla

Entonces dijo el Señor a Moisés:
¿Por qué clamas a mí?
Di a los hijos de Israel que se
pongan en marcha.

Exodo 14:15
Biblia de Las Américas

—¿Hola?—levanté el teléfono.

—¿Freddie?—la voz familiar se oía muy lejana—, habla Marcos.

—¡Marcos!—me dio mucho gusto—. ¿Cómo está el ministerio de Austin? Y tú, ¿estás bien?

Marcos se aclaró la garganta.

—Por eso te llamo, Freddie... eché todo a volar. Es decir ya no puedo más. Las tentaciones, las presiones del ministerio, además de mis propios problemas familiares; es demasiado, Freddie. Me voy; sólo te llame para avisarte.

—¡Cálmate, Marcos, espera!—traté de animarlo—. No te apartes del Señor Jesucristo. Yo sé que se pone difícil pero, déjame mandarte a alguien que pastoree la iglesia en Austin para que tú puedas venir al Templo Victoria con nosotros y recobres tus fuerzas en Cristo. Cuando se calme la tempestad y ya estés bien, continúas donde te quedaste. Aguántate, Marcos, yo te apoyo; nada más agárrate bien de Cristo.

—Es demasiado tarde, Freddie—su voz se oía muy desanimada—; estoy decidido.

—Vente a casa, Marcos—le insistí—. Yo sé lo que te digo.

—Quizas después, Freddie, pero no por ahora—. Con pena añadió—: No quiero dejar la obra de Dios desatendida, así que, mejor manda a alguien que me sustituya enseguida.

Esa misma noche, durante el servicio de nuestra iglesia, le hice una seña a David Pérez para que me siguiera afuera. Yo sabía que él estaba ganando buen dinero como mecánico de aviación; ahora era la prueba de su llamado al ministerio de tiempo completo.

Después de haberle resumido la situación le pregunté:

—¿Te gustaría pastorear en Austin, Texas? No te puedo prometer un gran salario, solamente dolores de cabeza y de corazón. Pero tendrás la bendición de ver el poder del Señor Jesucristo sanando vidas quebrantadas y eso, vale la pena.

Sin parpadear, David sonrió.

—Yo le pongo, Freddie. Mañana tempranito iré a mi trabajo y les notificaré que termino en dos semanas. Mientras tanto voy a comenzar a empacar mis cosas—. Me estrechó la mano y me abrazó—. No te mortifiques, Freddie; en el nombre de nuestro Señor Jesucristo, Austin continuará teniendo un Centro y un Templo Victoria.

Me maravillé del poder de Dios. David Pérez, un día jefe de ujieres del Templo Victoria y al otro día pastor en Austin.

—La derrota de Marcos es también nuestra— compartí con Ninfa—. Vamos a tener que hacer algo. Nuestros muchachos están allá afuera, en diferentes ciudades, pasando por sus pruebas y luchas. Tenemos que hacerles sentir que no están solos.

—Me acuerdo de cuando comenzamos aquí en San Antonio—suspiró Ninfa—. Hubo veces en que la duda y el desaliento casi nos vencían. Ahora ellos están pasando por lo mismo. ¿Hay algo que podamos hacer?

—Ellos son nuestros hijos espirituales y es nuestra responsabilidad ayudarlos—afirmé—. Necesitamos traerlos a San Antonio, por lo menos una vez al mes, o vamos a tener más tragedias como la de Marcos. Voy a llamar a Juan Rivera y decirle que comience a organizar todo.

Ese sábado vinieron nuestros seis pastores, ansiosos de convivir unos con otros. Les di la bienvenida:

—El hecho de que Marcos se haya apartado de Cristo Jesús nos ha lastimado a todos. Es por eso que les he pedido que vinieran. Yo creo que todos hemos experimentado épocas de desaliento; épocas en las que hemos dudado del llamamiento de Dios, así como Marcos. Es por eso que siento la fuerte necesidad de que comencemos una reunión de pastores mensualmente. Será un tiempo de compartir no solamente nuestras victorias sino también nuestras cargas y nuestros fracasos; un tiempo donde podamos animarnos unos a otros, recibir consejos y ser fortalecidos en Cristo Jesús.

—Lo que tú estás diciendo, Freddie, está de acuerdo con las Sagradas Escrituras—afirmó Juan Garza—. El apóstol San Pablo dice: "No dejemos de asistir a nuestras reuniones,… sino démonos ánimos unos a otros… "[1]. El compañerismo une a la famila de Dios y eso es lo que somos: una familia. La sangre del Señor

---

[1] Hebreos 10:25, Dios Habla Hoy

Jesucristo, derramada en el Calvario, nos hace hermanos.

Juan volteó hacia los muchachos.

—Aquí en la tierra, Dios nos ha dado un padre espiritual en Freddie. El nos ha criado en los caminos de Dios. Todos fuimos criados en la misma cuna del Centro Victoria. Crecimos como hermanos; más razón para reunirnos y ayudarnos unos a otros.

—La falta de compañerismo crea una división en la familia de Dios—convine—. Al principio de este ministerio cometí el error de dejar que Ramón iniciara una obra en El Paso, Texas. El era demasiado nuevo en Cristo y estaba tan lejos de nosotros que no pudimos mantener el compañerismo. Perdimos contacto y eventualmente lo perdimos a él y el ministerio que había comenzado fracasó.

—Ustedes pensarán que pueden hacerla de "Llanero Solitario"—les advertí—, ¡pero no se engañen a sí mismos! Siempre vamos a necesitar el compañerismo de unos con otros, hasta que Jesucristo regrese.

—¡Gracias, Cristo Jesús!—gritó David Pérez emocionado—. ¡Aleluya!

Comenzaron a alabar a Dios, y uniéndome a ellos, levanté mis manos en alabanza:

—¡Aleluya! ¡Alaben al Señor Jesucristo! ¡Sí! ¡Amén! ¡Alábenlo!

Nuestras voces se mezclaron al orar y al cantar en lenguas. La dulce presencia del Espíritu Santo llenó la habitación y el amor del Señor Jesucristo saturó nuestros corazones, uniéndonos a El y los unos a los otros.

—Esto—les recordé—, es lo que Cristo quiere dar a entender cuando oró por sus discípulos: "...que mantengan siempre la unidad espiritual como tú y yo, Padre, la mantenemos. Y que de la misma forma que tú estás en mí y yo en ti, que ellos estén en nosotros"[2].

Nuestra primera reunión de pastores fue una bendición para todos. Sabíamos en nuestros corazones que esto era lo que Cristo quería que hiciéramos: vivir la Palabra de Dios por medio de nuestro compañerismo, amor e interés de unos para con los otros. De ese día en adelante comenzamos a reunirnos el primer sábado de cada mes.

*   *   *

Pronto se hizo evidente que las juntas mensuales de pastores eran parte esencial del proceso continuo de *discipular*[a] nuestros pastores. Ellos venían listos para compartir sus problemas, confesar sus luchas y sus dudas, y encontrar ánimos al compartir mutuamente. Había fortaleza tan sólo con saber que no estaban solos en sus luchas; todos experimentaban problemas similares. Cuando uno de nuestros pastores encontraba la solución a través de la oración y de la Palabra de Dios, lo que había funcionado para su ciudad, podía implementarse en la otra.

Cada mes tenía listo un nuevo surtido de libros y de cintas magnetofónicas. Los utilizaba con mis discípulos de San Antonio y los compartía con los pastores que venían a las juntas mensuales de pastores. Cada pastor se iba con una bolsa de supermercado llena de material nuevo, ansiosos de

---

[2] Juan 17:21, La Biblia al Día

[a] *discipular*: Este término, que como verbo no existe en la lengua española, es usado en algunos círculos cristianos como sinónimo de "formar", "hacer" discípulos

estudiar, de hacer su reporte sobre el libro y de compartir con sus propios discípulos.

Las juntas mensuales eran "la reunión familiar" que necesitábamos para fortalecer los lazos de amor y de hermandad. Mantenía a nuestros pastores de las otras ciudades en contacto con lo que estaba sucediendo en nuestra creciente "familia" de San Antonio. Los discípulos "más jóvenes" que estaban listos para ser lanzados, se sentían más seguros; sabían que podían sacar jugo de las experiencias de sus hermanos "mayores" que ya estaban en el campo.

Con el compañerismo, teníamos más confianza ahora de alcanzar otras ciudades nuevas. Nuestra gente estaba en oración por las ciudades de Texas. Sentíamos aflicción por una ciudad en particular. Quizás se iniciaba por un reportaje en las noticias sobre algún contrabando de drogas en esa ciudad, o quizás por alguno de los drogadictos del Centro Victoria contándonos de la preocupación que sentía por su ciudad natal.

Durante las juntas mensuales de pastores, volvíamos a orar por esa ciudad en particular antes de mandar un equipo por delante para explorar el terreno. Por lo menos con unos 50,000 folletos en la mano, tenían órdenes de no regresar hasta que se hubiera distribuido toda la literatura en las cantinas y entre los drogadictos. Esto era siempre nuestro "primer ataque" en una ciudad, en el nombre de nuestro Señor Jesucristo.

A veces, los drogadictos reaccionaban inmediatamente; aceptaban a Cristo y se venían a San Antonio con nuestro equipo. Otros llamaban después o simplemente aparecían en la puerta de nuestra casa. Cuando la respuesta de una ciudad era fuerte, sabíamos que era tiempo de establecer una obra allí. Una vez que una ciudad se convertía en nuestro "blanco", enviábamos un pastor, con su esposa que ya había sido *discipulada*[b] en las diferentes áreas del ministerio.

Ninfa comenzó primero *discipulando* a las mujeres; casi todas eran madres de niños pequeños. Se les enseñaba primero a aplicarse a la cocina y la limpieza de la casa, no solamente para su esposo y su familia, sino para todos los muchachos que llegaban de las calles. La esposa de un pastor también era *discipulada* en trabajo de oficina, en el ministerio de los niños, en cómo enseñar de la Biblia a otras mujeres y en el ministerio de títeres para las escuelas primarias.

Yolanda Muñoz, miembro de nuestra iglesia, se ofreció de voluntaria para trabajar de tiempo completo en la oficina. Ninfa la *discipuló*. Yolanda se convirtió en la contadora de finanzas del ministerio para el "Centro Victoria de Texas" y comenzó a *discipular* a toda esposa de pastor en cómo llevar los libros de contabilidad.

* * *

Nuestras juntas mensuales de pastores habían crecido gradualmente, conforme se lanzaban pastores a nuevas ciudades. Ya teníamos ocho iglesias más, además del Templo Victoria de San Antonio, y nuestros ocho pastores ya comenzaban a traer sus propios discípulos a las juntas. Empecé a pensar que necesitábamos tener conferencias en San Antonio para toda la "Familia Victoria" por lo menos dos veces

---

[b] *discipulado*: como nombre; el que está recibiendo entrenamiento; estudiante

al año. Se lo mencioné a los muchachos y todos estuvieron de acuerdo.

Cuando le dije a Ninfa, me escuchó con mucho interés. De repente se echó a reír. Pasó un buen rato antes de que pudiera hablar.

—Perdóname, Freddie—luchó para tomar aliento—, es que me puse a pensar en cuando Cristo tocó por primera vez nuestras vidas. Lo único que queríamos era liberarnos de las drogas. Nadie nos habló de ser pastor o esposa de pastor. Ahora, ¡mira en lo que estamos metidos! ¿Conferencias?

—Yo no sé mucho de conferencias—me reí—, pero sé que Dios está tratando conmigo que las haga de la misma forma que El trató conmigo para que pastoreara; así que, lo voy hacer.

Al día siguiente, Juan Rivera regresó de El Paso, Texas. Yo le había dado la tarea de salir periódicamente a las ciudades donde habíamos plantado iglesias. Iba a enseñar, a predicar y a revisar las necesidades que había en ese ministerio y después me informaba cómo podíamos ayudarles.

—Dios se está moviendo por allá—me reportó—. El nombre de Jesucristo está siendo ensalzado, Freddie. Daniel y yo discutimos lo que dijiste acerca de hacer conferencias. El está de acuerdo al igual que todos los pastores que tenemos en los otros pueblos.

—Gracias, Señor Jesucristo—me emocioné—. Esto le va a dar a la gente de nuestras iglesias: hombres, mujeres, jóvenes y niños, la oportunidad de ver por sí mismos los frutos del *discipulado* y de captar la visión de salir y hacer discípulos.

—Las conferencias necesitan ser organizadas para que den *enseñanza práctica* de la Biblia—le dije a Juan—. Deben *alentarnos* y *edificarnos* en la fe;

fortalecer la unidad de nuestra familia en Cristo y *darnos dirección* para que no nos desviemos de aquello que Dios nos llamó a hacer.

Juan Rivera sonrió a sus anchas.

—Nuestros pastores están listos, Freddie. Ellos están en el campo todo el año y saben que necesitan venir y sentarse a la mesa de nuestro Señor Jesucristo a alimentarse de Su Santa Palabra.

—Pues a ponerle, Juan—estaba decidido—. Esta primera conferencia será en inglés; a los seis meses tendremos una en español. Voy a hablar con mi pastor Sonny y con Rubén Reyna, Wayman Mitchell y Jack Harris, hombres que están plantando iglesias y tienen experiencia con la organización de conferencias. Los invitaremos a que sean nuestros oradores. Nosotros vamos a sentarnos y aprender de ellos. Luego, cuando organicemos nuestra conferencia en español, sabremos qué hacer.

Sin más tardanza empezamos a hacer los preparativos. La fecha marcada era para dentro de tres meses.

*   *   *

Ramiro Torres, uno de los residentes de más edad del Centro Victoria, vino a verme. Era discípulo de Manuel Zertuche y uno de los consejeros de su grupo.

—Freddie, por más de ventiséis años de mi vida fui drogadicto—me recordó—. No puedo quedarme callado ante el milagro que Cristo Jesús hizo en mi vida. ¡Tengo que compartirlo!

Ramiro tenía el rostro amable, pero la gran cicatriz de su mejilla revelaba la vida violenta del mundo de las drogas. Se le estaban encaneciendo el pelo y el bigote, pero sus ojos estaban encendidos de entusiasmo.

—¿Podría tomarme unos dos meses de descanso y llevarme unos folletos para ir a testificar a Lubbock, Texas? En esa ciudad hay mucho drogadicto que sufre… regresaré a tiempo para la conferencia.

Yo sabía que él ya estaba listo.

—Ve y testifica, y explora la ciudad y ora para que se abra una iglesia y un Centro Victoria allí. Ora por eso, Ramiro. Si el Señor Jesucristo te da la luz verde, ¡te lanzaremos!

—¡Amén!—dijo Ramiro estrechando mi mano—. ¡Amén!

*   *   *

Por fin llegó el día de la conferencia. De todas partes de Texas, nuestros pastores, sus esposas e hijos, sus discípulos y miembros de sus congregaciones, se unieron con los del Templo Victoria de San Antonio, Texas, una semana completa. La "Mesa del Banquete" de nuestro Señor Jesucristo estaba puesta: la oración, los cantos de alabanza, de adoración, los testimonios y los sermones instructivos, llenaron nuestras sesiones matutinas y nocturnas.

Durante uno de los intermedios entre las sesiones, al tomar café José Luis Flores me detuvo. Le pregunté:

—¿Cómo les va a ti y a Juan Garza en Laredo?

—Dios está en el asunto—José Luis estaba entusiasmado—. Ha abierto las puertas de las cárceles y de las escuelas y la iglesia está creciendo. Dios está realmente bendiciéndonos, Freddie.

—¿Y cuándo te vas a lanzar tú solo?—lo desafié.

—Es por eso que te detuve—sonrió—. Esta conferencia es justo el incentivo que necesitaba. Estoy listo para irme.

—¿Has orado por alguna ciudad en particular?—le pregunté—. ¿Quizás Corpus Christi?

Se sorprendió por mi pregunta.

—¡Corpus Christi ha estado en mi corazón! ¿Cómo lo supiste?

—Porque sé que allí hay una gran necesidad y Dios quiere moverse—le expliqué—. ¿Quieres tomarla?

—¡Seguro!—me estrechó la mano—. ¡Amén!

—Bueno. Nosotros te lanzaremos y te apoyaremos económicamente durante un año mientras tú te dedicas a hablarle a la gente de Cristo.

Después de la sesión matutina del jueves, Ramiro Torres se me acercó.

—El Señor Jesucristo ha estado tratando fuertemente conmigo acerca de abrir en Lubbock, Freddie.

—¡Estás listo para irte de pastor?

—Estoy listo—sonrió—. Voy a abrir una iglesia y un Centro Victoria en Lubbock. Pero tengo un problema. La gente de La Mesa, Texas, que está a unos cuantos kilómetros de Lubbock, quiere que comience una obra allá también. Mi corazón tira para las dos ciudades.

—Vete a Lubbock—le aconsejé—. Establece un ministerio allí. Cuando estés listo para irte a La Mesa, Texas, deja a uno de tus discípulos de pastor en Lubbock. Te apoyaremos económicamente por todo un año; para entonces ya debes poder sostenerte por ti mismo. Te ayudaré con folletos, libros y *cassettes*[c] todo el tiempo que lo necesites.

---

[c] *cassettes*: Cajitas de plástico que contienen una cinta magnetofónica para registrar y reproducir el sonido. Grabaciones

—Mañana es el último día de la conferencia— añadí—. Vamos a ungirlos, a imponerles las manos y a orar por ti y por los otros pastores que vamos a lanzar.

El viernes por la noche, después del servicio de adoración Ninfa y yo estábamos exhaustos pero felices.

—Yo lloré cuando los nuevos pastores subieron al altar para que oraran par ellos—admitió Ninfa—. Pensé en José Luis Flores y Ramiro Torres cuando primero llegaron al Centro Victoria; sus mentes y sus cuerpos estaban malgastados por el uso de las drogas. Habían fracasado en todo lo que trataron de hacer. Pero míralos ahora. José Luis sale como pastor para Corpus Christi y Ramiro para Lubbock.

Le sonreí.

—Le doy gracias a Dios por todos nuestros pastores y por sus esposas que están dispuestas a irse con ellos dondequiera que Dios los llame.

*   *   *

Ya habíamos comenzado a planear la conferencia en español.

—Nuestro tema será: "Poniendo el Fundamento"— le dije a Juan Rivera—. Tú y yo vamos a predicar. Los otros predicadores van a ser los pastores que estén produciendo discípulos; ellos son los que tienen algo que compartir con nosotros.

*   *   *

—Hola, papá—. Ricardo entró a la casa una mañana muy temprano.

—Hola, hijo—. Estaba contento y a la vez sorprendido de verlo—. ¿Quieres tomar una taza de café conmigo?

—Seguro que sí—se acomodó.

—¿Cómo está tu hermana Sandra?—le pregunté—. Hace tiempo que no la veo.

—Está bien, papá. Está trabajando porque quiere comprarse un carro.

—¿Y cómo estás tú?—le pregunté—. ¿Qué hay de nuevo?

—En realidad vine a decirte que me metí al Ejército—sonrió orgullosamente—. Salgo esta semana para la base, Fort Leonard Wood, en Missouri.

—¿En el Ejército?—le pregunté jugando—. ¿Por qué no en la Infantería de Marina como tu hermano Francisco?

—No, papá—volvió a sonreír—. Francisco no lo sabe, pero ¡en el Ejército es donde está lo mejor de lo mejor!

Los dos nos reímos y añadí:

—Escucha, Ricardo; cuando tu hermano Francisco entró en la Infantería de Marina, pasó por aquí antes de irse a California. Le pedí que fuera a ver a mi papá para avisarle que se había alistado. Ese fue el gozo del día para papá; no habló de otra cosa por varias semanas. Estaba muy orgulloso de saber que uno de sus nietos estaba en el Servicio Militar. Ahora voy a pedirte que hagas lo mismo, Ricardo. Papá siempre ha sido muy patriota y él mismo estuvo en el Ejército. Ve a verlo antes de irte.

Ricardo sonrió y asintió.

—Seguro que sí, papá.

Cuando ya estaba listo para irse, lo animé para que buscara al Señor Jesucristo. Le dije:

—Déjame orar por ti, Ricardo, como lo hice por Francisco, para que Dios mantenga su mano sobre ti y que un día le entregues tu vida a Cristo Jesús.

*　　*　　*

—¡Mamá! ¡Papá!—Josefina y Pablo entraron gritando a nuestra recámara—. ¡Nuestro hermano Jesús vino al servicio de los jóvenes! ¡Aceptó al Señor Jesucristo como su Salvador!

Josefina, casi sin aliento, dijo:

—¡Y dijo que iba a comenzar a venir a los servicios de la iglesia!

—¿Tuvieron oportunidad de hablar con él? ¿Qué dijo?—preguntó Ninfa ansiosamente—. ¿Le gustó la iglesia?

—No dijo mucho—contestó Josefina—. Estaba bastante tímido con nosotros.

—Era sólo un bebito cuando lo dejamos—explicó Ninfa—. Aunque sea nuestro hijo y su hermano, durante dieciocho años hemos sido extraños uno para con otro. Continuemos orando para que Jesucristo nos una como familia. El es el único que lo puede hacer.

Una noche, meses después, sonó el teléfono cerca de las 10:00 P.M. Ninfa lo contestó. Minutos después regresó al cuarto.

—Freddie, es Jesús… ¡Quiere venirse a casa!

*　　*　　*

La conferencia en español tuvo tanto éxito como la conferencia en inglés. Estas "Reuniones Familiares" semestrales se convirtieron en el evento más importante del año. De conferencia a conferencia se multiplicaba la asistencia. Ya no podíamos tener nuestras sesiones en el Templo Victoria, por lo tanto tuvimos que rentar el auditorio de una escuela para poder acomodar a la multitud. Lo más sobresaliente de nuestras conferencias era siempre el lanzamiento de los nuevos pastores y la respuesta de otros al sentir el llamamiento a ser *discipulados* para el ministerio en ciudades nuevas.

Durante una de nuestras conferencias en español, Luis Salazar me hizo a un lado.

—He *discipulado* a Jorge Fernández. Está listo para encargarse de la iglesia de los niños. Es hora de que yo regrese a mi país—sonrió a sus anchas—. Lima, Perú, necesita un Centro y un Templo Victoria. Dios ya había comenzado a tratar conmigo sobre esto—me explicó—, pero esta conferencia me lo confirmó. Mi gente necesita oír acerca de nuestro Señor Jesucristo.

Ninfa y yo le estábamos asegurando a Luis nuestro apoyo económico por lo menos durante un año cuando Miguel Hernández se unió a nuestra conversación.

—Quiero que ustedes me entrenen—habló bruscamente—. Dios me está llamando a ser pastor.

—Tú ya estás preparado—solté la risa—. Todo el tiempo que has estado enseñando en el compañerismo de los hogares, te estábamos *discipulando* para ser pastor.

—¿Quieres decir que estoy listo?—casi se ahogaba—¿Ahora mismo?

—Houston, Texas, tiene una urgente necesidad—le insinué—. ¿Estás interesado?

—Si tú piensas que estoy listo—sonrió—, ¡estoy interesado!

Daniel Ibarra, de El Paso, Texas, estaba detrás de Miguel. Traía quince discípulos con él.

—Este es Freddie García—me presentó con ellos—. El es su abuelo espiritual—. Luego, señalando a los quince dijo—: Freddie, de este grupo, seis tienen corazón de pastor y ya los estoy *discipulando*. Ellos han expresado el deseo de pastorear un Templo y un

Centro Victoria en Ciudad Juárez, México—. Daniel estaba orgulloso—. Estarán listos para ser lanzados durante la próxima conferencia.

—Gracias, Señor Jesucristo—dijo David Pérez entrando a la plática—. Yo estoy *discipulando* dos hombres. Uno va a comenzar una nueva iglesia allí, en la ciudad de Austin; el otro sigue orando para ver a qué ciudad puede irse.

—Yo tengo tres discípulos también, Freddie—sonrió Juan Garza—. Cuando estén listos, con el favor de Dios, los voy a enviar a pastorear al sur de la frontera.

José Luis Flores levantó la mano para llamar mi atención y gritó:

—Yo también estoy *discipulando*, Freddie. ¡Tengo fe en que voy a lanzar cuatro pastores!

Uno por uno, todos fueron contando lo que Dios estaba haciendo en sus ciudades, acerca de los cambios que Jesucristo estaba haciendo en sus propias vidas; cómo sus discípulos estaban creciendo en conocimiento y número, y estaban comenzando a *discipular* a otros. Escuché en silencio mientras hablaban; mi gratitud iba en aumento. Yo no había compartido con nadie mi temor interno de que mis discípulos no se reprodujeran ni lanzaran sus propios discípulos. Si ellos no se hubieran reproducido, yo habría fracasado. La visión se habría detenido conmigo. ¡Pero ellos la habían captado! Esta era la visión hecha realidad, la evidencia de que el Señor Jesucristo estaba a cargo.

—¡Gloria al Señor Jesucristo!—levanté las manos—. ¡Alabemos su precioso nombre!

Inmediatamente el cuarto se llenó de sonidos de alabanza al ellos unirse a mí en oración, la hermosa mezcla de los diferentes lenguajes, exaltando y glorificando el nombre del Señor Jesucristo.

Después de la oración, los muchachos continuaron compartiendo entre ellos, platicando sobre sus planes para los meses siguientes.

—¡Oye, Ramiro!—Daniel lo llamó a un lado—. Voy a tener un desayuno para una junta de varones en seis semanas. Me gustaría que tú fueras el orador.

—¡Seguro!—Ramiro sonrió—. Con todo gusto. Pero quisiera que tú vinieras a hablar a mi iglesia también. ¿Cuándo puedes?

El resto de los muchachos intercambiaba fechas de compromisos para ir a predicar. Sonreí y me dirigí a Ninfa que había estado observando y escuchando. Juntos caminamos fuera del cuarto. Yo sabía que no nos iban a echar de menos por un rato.

—Es hora de dejarlos ir—le dije a Ninfa—. Ya están listos para formar su propia corporación.

—¡Oh, oh!—sonrió—. Espera que oigan esto. Ojalá que puedan entender que es por su propio bien.

Ella había hecho todos los documentos cuando formamos por primera vez nuestra corporación no lucrativa y añadí:

—Quiero que estés presente en la siguiente junta de pastores, para que tú les expliques lo que necesitan hacer.

Llamé a los pastores y les dije que vinieran esta vez sin sus discípulos. La junta tuvo lugar en nuestra casa. Eran veinte en total y todos nos sentamos alrededor de la mesa del comedor de 4.88 metros de largo. Comencé hablando sobre la "mentalidad de propietario".

—Esto es, cuando tú piensas que algo te pertenece, cuando en realidad le pertenece a Dios—les expliqué—. Necesitamos tener mucho cuidado. No cometan el error de pensar que nuestros discípulos nos pertenecen; ellos le pertenecen a nuestro Señor Jesucristo. Algunas veces batallamos para dejarlos ir. Pensamos que hemos trabajado por años con un muchacho y justo cuando está listo para ayudarnos en nuestro ministerio, se quiere ir. Nos quedamos solos... de nuevo en el primer cuadro, sin tener a nadie que nos ayude; de modo que comenzamos a retenerlos. Esa es la "mentalidad de propietario", y está mal. Si ésta fuera la manera de hacerlo, yo tendría la iglesia más grande y mejor organizada de toda la ciudad porque aún los tendría a todos ustedes conmigo.

Pude presentir que ellos deseaban saber a dónde quería llegar.

—Eso no es lo que Dios nos llamó a hacer— continué—. Dios me dijo hace mucho tiempo: "Trabaja con ellos, *discipúlalos*, y cuando ya se puedan mantener en pie por sí mismos, déjalos ir. Déjalos ir y estarán contigo. Trata de retenerlos y los perderás".

—Yo no entendí al principio lo que el Señor Jesucristo quería darme a entender, pero le obedecí y los dejé ir—sonreí—, y no los he perdido. Puede que estén en otras ciudades, pero el lazo de amor que hay entre nosotros nos mantiene unidos. Ustedes no tienen que venir a estas juntas de pastores; nadie los está forzando. Vienen porque tienen en su corazón el deseo de estar aquí. ¿Por qué continúan viniendo a las conferencias año tras año? Porque quieren. Pero si no los hubiera dejado libres al principio, probablemente se habrían marchado enojados, frustrados porque no los ayudé a desarrollarse en "todo su potencial" en Cristo Jesús. Eso es lo que el

Señor Jesucristo quiso darme a entender cuando El grabó en mi corazón: "Déjalos ir y estarán contigo. Reténlos y los perderás."

Todos, alrededor de la mesa, sonreían y aprobaban. Me encontré con los ojos de Ninfa y me aclaré la garganta antes de continuar.

—¿Me están entendiendo lo que estoy tratando de decirles?

—¡Amén!—todos aprobaron a una voz—. ¡Amén!

—¡Bueno!—sonreí—. Porque ahora tengo que hablarles acerca de dejarlos incorporarse por sí mismos.

Hubo un gran silencio en el cuarto y escucharon inmóviles.

—Cuando ustedes eran nuevos en Cristo, la responsabilidad de cuidarlos era mía. Les enseñé de la Palabra de Dios; vigilé que tuvieran alimento, ropa y casa. Ustedes eran mis hijos espirituales. Ahora son hombres de Dios con responsabilidades propias. Ustedes ya son padres espirituales.

—Aun cuando fueron lanzados por primera vez— continué—, haciendo un trabajo por el Señor Jesucristo en sus ciudades, yo seguí asumiendo la responsabilidad de financiarlos hasta que pudieran valerse por sí mismos. Y aquéllos de ustedes que ya son independientes económicamente, siguen bajo el amparo del Centro Victoria de Texas. De cualquier modo, ha llegado el momento de soltar a aquéllos de ustedes que ya puedan mantenerse firmes y dejarlos incorporarse ustedes solos. De esta manera yo puedo tener más tiempo para trabajar con sus hermanos más jóvenes que apenas están comenzando.

Ninguno habló. Se miraron unos a otros y luego me miraron a mí con incredulidad. Ninfa rompió el silencio:

—No están comprendiendo, Freddie. Están pensando que te quieres deshacer de ellos—. Se volteó hacia ellos—. ¡No es eso!

—¡No!—me levanté de mi silla—. ¡Todo lo contrario! Yo no los estoy corriendo; todavía somos familia. Esto no va a dividirnos; nos va a mantener unidos. Todo va ser igual. Vamos a seguir teniendo nuestras juntas de pastores y las conferencias. Voy a seguir apoyando económicamente durante un año a cada pastor que lance. Y cuando ustedes lancen a sus discípulos, ustedes los van a ayudar hasta que ellos puedan estar de pie por sí mismos, y luego, los dejarán ir también. Somos una familia; siempre seremos una familia. Pero necesitan incorporarse ustedes solos. Es para su propio beneficio.

—Pero, Freddie—David Pérez se puso de pie—. Yo no quiero ser independiente; yo quiero estar bajo tu dirección.

—Y lo vas a estar, David. Aún soy tu padre espiritual y lo seré siempre. Nada ha cambiado. Voy a seguir dándoles libros y *cassettes* de enseñanza para ayudarles en su ministerio. Si alguno de ustedes llegara a tener problemas económicos, nosotros le ayudaremos. Pero, escúchame, David; esto no va a convertirse en una denominación. Esto es un compañerismo, una familia. Lo que nos une es el amor que tenemos los unos para con los otros en Cristo Jesús. Ustedes seguirán siendo de la familia, del compañerismo del Centro Victoria. Pero van a estar aquí porque ustedes lo desean.

—Jesus dijo: "En esto conocerán todos que sois mis discípulos, si os tenéis amor los unos a los otros"[3]. Lo

---

[3] Juan 13:35, Biblia de Las Américas

que nos mantiene unidos no es un documento legal; es el amor.

Los muchachos estaban callados; se miraban unos a otros, sonriendo y afirmando. Casi podía uno extender la mano y palpar el amor de Dios ahí mismo en el cuarto.

—Yo estoy contigo, Freddie—. David Pérez sonrió ampliamente—. ¡Gracias, Señor Jesucristo! ¡A Dios sea la gloria!

Uno de los muchachos más nuevos comenzó a aplaudir. Luego otro se le unió y luego otro. Como si nos hubiésemos puesto de acuerdo, todos nos paramos. Sabíamos que estábamos en la presencia del Rey de Reyes. El aplauso se hizo más y más fuerte hasta que estalló en una alabanza reverente.

Lentamente el aplauso disminuyó al ir ascendiendo el gentil sonido de la oración en lenguas. Nuestro corazón se llenaba de gratitud. Sabíamos que "...el que comenzó en vosotros la buena obra, la perfeccionará hasta el día de Cristo Jesús"[4]. Enaltecimos Su nombre y le dimos toda la alabanza, todo el honor y toda la gloria a Jesucristo, nuestro Señor: ¡la fuente de nuestro vivir y el porqué seguir adelante!

---

[4] Filipenses 1:6, Biblia de Las Américas

Capítulo 13

La Noche Viene

Nosotros debemos hacer las obras del
que me envió mientras es de día, la
noche viene cuando nadie puede
trabajar.

Juan 9:4
Biblia de Las Américas

Cada vez que se abría la puerta doble que daba a la
Unidad de Cuidados Intensivos, me daba brincos el
corazón. Cerca de la medianoche todos los miembros
de mi familia se habían retirado a sus casas, exhaustos
después de un día de ansiosa espera. Solamente Ninfa
y yo nos quedamos. Preparados para toda una noche
en vela, habíamos llevado un termo grande de café
caliente. Ninfa tendió cuidadosamente nuestra nueva
bolsa de dormir en el piso, detrás del mostrador de
información vacío.

—Acuéstate un rato, Freddie —trató de
convencerme—. Tienes que cuidarte. Acuérdate de tu
reciente ataque al corazón.

A las 3:00 A.M. exactamente, salió la enfermera.

—Es mejor que llame a toda la familia —nos
sugirió—; parece que está empeorando.

Inmediatamente Ninfa fue al teléfono público y
llamó a mi hermana Santos. Ella llamaría al resto de
la familia, incluyendo a mis dos hermanas, Estela y

María, que habían venido en avión desde California tan pronto como se enteraron de que mamá había sido hospitalizada.

Todo pasó tan de repente. El lunes por la tarde, mamá se había quejado de un ligero dolor en el lado izquierdo del pecho. Después de que los doctores diagnosticaron que era un ataque al corazón, fue internada inmediatamente en la Unidad de Cuidados Intensivos.

El miércoles sufrió el segundo ataque.

El viernes, exactamente a las 4:00 de la mañana, el doctor salió a la sala de espera e informó a la familia que estaba reunida, que Josefa Lucio García había sufrido un tercer y último ataque cardíaco. Mi buena y cariñosa madre estaba muerta.

Muchos de nuestros familiares no pudieron más y comenzaron a sollozar, pero yo estaba atónito por el dolor de haber perdido a mamá. Silenciosamente caminé por el pasillo hacia las ventanas y miré hacia la oscuridad, orando con el Espíritu[1].

—*¡Mamá se ha ido!* —la idea me daba vueltas en la cabeza—. *¡Realmente se ha ido!*

Pero justo cuando creí que iba a desfallecer, me envolvió una calma. Ninfa me había seguido y se paró a mi lado. Tiernamente deslizó su mano entre la mía.

—Casi son las 5:00 de la mañana —me dijo en voz baja—. Vámonos a casa.

—Tiene razón—. Santos se acercó a nosotros—. Vete para la casa, Alfredo. No te preocupes por los arreglos del funeral. Nosotros nos encargaremos y te avisaremos. Tú tienes que dormir un poco o te vas a enfermar. No te olvides del estado de tu corazón.

---

[1] 1 Corintios 14:15, Biblia de Las Américas

Aún tomados de la mano, Ninfa y yo tomamos el elevador y bajamos al primer piso. Caminamos en silencio a través del largo y vacío corredor del hospital hasta llegar al carro. Nos dejamos caer en el asiento de enfrente. Podía sentir los latidos de mi corazón.

Ninfa rompió el silencio:

—Tú me dijiste años atrás que cuando llegara el momento de que tu mamá falleciera, querías rentar un cuarto en algún lado para estar solo, lejos de todos… ¿Recuerdas?

Al no contestarle, ella continuó:

—Creo que lo que te estoy tratando de decir es que si te sientes con deseos de hacerlo, Freddie, ¡hazlo! No te preocupes de qué va a decir la gente o qué explicación le vas a dar. Tú haz lo que sientes que debes hacer.

—No, Ninfa —repliqué——; estoy bien. Años atrás, cuando te dije eso, no pensé que podría soportar mi dolor de ninguna otra manera que estando solo. Pero, ¿sabes qué estoy experimentando ahora mismo, Ninfa, a pesar de que mamá se ha ido? Una paz sobrecogedora. No puedo explicarlo, pero siento al Espíritu Santo muy cerca de mí. En medio de mi dolor y mi pena, ¡Dios me está consolando! He conocido a Cristo Jesús como mi Salvador, mi Sanador y mi Señor, Ninfa, pero nunca había experimentado la realidad del Santo Consolador[2] de una forma tan poderosa. Siento su paz dentro de mí.

—Gracias a Dios —dijo Ninfa ya calmada—. He estado verdaderamente preocupada por ti.

—No te preocupes —la consolé—, voy a estar bien. Y tú, ¿cómo estás, bien?

---

[2] Juan 14:16, La Biblia al Día

—Estoy bien —suspiró.

—Entonces, vámonos para la casa.

Llegando a casa me fui derechito a la recámara y me acosté. Los primeros rayos del sol luchaban por asomarse a través de las nubes grises. Sentí una gran pesadez y cerré los ojos.

*　　*　　*

Me despertó la mano de Ninfa que me acariciaba el pelo.

—¿Cómo te sientes? —me dio una taza de café.

—¿He dormido mucho?

—Veinticuatro horas —sonrió——. Es sábado por la mañana. Pero te hacía falta, después de todas esas noches en vela en el hospital.

Sus palabras me volvieron a la realidad. No había sido una pesadilla. Mamá realmente se había ido.

—Santos llamó para avisarnos que el cuerpo de mamá estará listo en la funeraria de Max Martínez hoy a la una de la tarde. La van a sepultar el martes en el cementerio Fort Sam Houston.

—¿Y papá, Ninfa? ¿Ya sabe?

—Como se le olvida inmediatamente todo lo que le decimos, la familia decidió no decirle nada.

—Qué bueno —asentí con la cabeza—. Como quiera, ha perdido toda noción del tiempo y de la realidad.

—Además —suspiró Ninfa—, está encamado y no hay manera alguna de moverlo para que asista al funeral. Tan enfermo como está, lo mataría el saber que tu mamá se ha ido.

—Antes de que se me olvide—añadió—, Juan Rivera y Manuel Zertuche pasaron por aquí. Dijeron que contaras con ellos para cualquier cosa que necesitaras.

—Háblales por teléfono —le dije—. Diles que vamos a tener servicios eclesiásticos ahí en la funeraria las próximas tres noches. Quiero que vayan ahora mismo y preparen todo para la noche: micrófonos, bocinas, instrumentos musicales: todo. Dile a Pablo que se lleve el piano eléctrico y dile a Josefina que cante. A mamá le gustaba oírlos a los dos. Quiero que Pablo, Josefina, tú y el grupo del Templo Victoria canten alabanzas al Señor Jesucristo en cada servicio. ¡EL nombre de Cristo Jesús va a ser glorificado! Yo predico esta noche. Dile a Manuel que él predique el domingo en la noche. Juan Rivera se puede encargar del lunes por la noche. El martes por la mañana, cuando lleven el cuerpo de mamá al Templo Victoria, yo predicaré allí mismo en el servicio de alabanza y luego en el cementerio. Oramos para que el Señor Jesucristo sanara a mi mamá, Ninfa, y El ha contestado nuestras oraciones. ¡Mamá no está muerta: está completamente sana y viva en Cristo Jesús por toda la eternidad!

—Gracias, Señor Jesucristo—. Los ojos de Ninfa estaban húmedos.

Todo el sábado, nuestros amigos y familiares entraban y salían de la casa. Trajeron de todo: desde flores hasta panes hechos en casa; desde galletas hasta comidas completas. Todos expresando su cariño y su preocupación.

—¿Te acuerdas de cómo mamá siempre ponía el ejemplo de asistir a todos los funerales de los amigos y conocidos? —me recordó Ninfa.

El recuerdo me hizo sonreír.

—Yo siempre bromeaba con ella de eso.

—Pues ahora entiendo por qué lo hacia —confesó Ninfa—. Cada persona que ha venido nos ha ayudado a pasar el día con menos dolor, tan sólo por su compañerismo.

Esa noche, cuando llegamos a la funeraria, nuestros ujieres del Templo Victoria estaban supervisando el estacionamiento. Vestidos con camisas y boinas rojas y con pantalones negros, dirigían a toda la gente hacia la capilla.

Al entrar se me animó el corazón. Ahí estaban Juan Garza, de Laredo; José Luis Flores, de Corpus Christi; Daniel Ibarra, de El Paso; David Pérez, de Austin, ciudades de Texas, y todos los demás pastores con sus esposas y sus discípulos. No tuvieron que decir ni una palabra. Me di cuenta de que habíamos aprendido a ser, verdaderamente, una familia, unida a través de los lazos del amor de Dios.

La agencia funeraria nos había asignado la capilla más grande y aun así, la gente estaba parada a lo largo de las paredes y amontonada en los pasillos. Los ujieres contaron cuatrocientas personas presentes, y la abundancia de flores, rodeando el ataúd de mamá, hablaba de qué clase de amiga había sido para muchos. Prediqué esa noche acerca del Señor Jesucristo y casi podía sentir como si mamá, desde su lugar en el cielo, estuviera dictándome: "Diles, hijo... ¡Diles del Señor Jesucristo!"

En cada uno de los servicios eclesiásticos que tuvimos en la agencia funeraria, la gente vino y aceptó a Cristo como su Salvador. La última noche, uno de los empleados del mortuorio pasó adelante y entregó su vida a Cristo. Sentí gran gozo en el corazón.

—"¿Dónde está, oh, muerte, tu aguijón? ¿Dónde está, oh, sepulcro, tu victoria?"[3]

El martes por la mañana, mientras el cuerpo de mamá iba descendiendo lentamente a su fosa,

---

[3] 1 Corintios 15:55, La Biblia al Día

reflexioné acerca de su vida: Nació y creció en el rancho de su padre en San Marcos, Texas, y fue allí donde conoció a papá. El había sido contratado como trabajador en el campo para que ayudara a recoger la cosecha. Se enamoraron y papá la pidió en matrimonio. La boda fue en 1923 y ese mismo año se cambiaron a San Antonio.

—Hasta donde yo recuerdo, mamá —hablé en voz baja—, usted siempre luchó porque su familia no perdiera su herencia, simplemente viviendo nuestra cultura, haciendo sus *tortillas*[a], *caldo*[b], y *tamales*[c], y recordándonos constantemente que usáramos nuestro idioma español.

—Y cuando usted mamá conoció al Señor Jesucristo como su Salvador, llegó a creer que la sanidad de nuestra gente vendría a través de El. No se equivocó; el color negro es hermoso... el café es hermoso... el blanco es hermoso... si lleva uno a Cristo en su corazón. Usted nos enseñó con su ejemplo, mamá; ahora es nuestra responsabilidad continuar esa labor.

*   *   *

Ya tarde, esa noche, cuando nuestros familiares se habían ido y nuestros hijos, por fin, se habían dormido, tuve la oportunidad de hablar con Ninfa.

—Tú sabes que mi familia siempre ha sido muy unida —inicié la plática—. Recuerdo que cuando alguno de nuestros parientes tenía algún problema

---

[a] *tortillas*: especie de pan sin levadura en forma de círculo y aplanado, hecho de masa de harina de trigo o de maíz

[b] *caldo*: líquido que resulta de cocer la carne o el pollo con verduras y especias

[c] *tamales*: masa de maíz sazonada, rellena de carne guisada con especias y envuelta en hojas de maíz y cocida al vapor

económico, papá abría nuestro hogar a toda esa familia; niños, gatos, perros ¡a todos! Hasta que pudieran levantarse de nuevo. Pero la bondad de papá no terminaba en la familia. Cuando alguien del *barrio*[d] estaba enfermo, mamá siempre estaba ahí para ayudar, y se llevaba a mis hermanas para que cuidaran a los niños, cocinaran, lavaran o hicieran cualquier otra cosa que se necesitara. Mamá creía en la unidad del *barrio* y en el amor al prójimo.

—Cuando todas mis hermanas y hermanos se casaron, mamá logró mantener a toda la familia unida. Cada domingo cocinaba una olla grande de *caldo* de res para la familia entera. En Navidad hacía sus tradicionales *tamales* y cada Año Nuevo hacía sus *buñuelos*[e] doraditos.

Estos fueron los imanes que usó para reunir a sus hijos. Yo he aplicado la misma idea en nuestras reuniones del Centro Victoria; nuestras juntas de pastores, los banquetes y las conferencias son los "*caldos* espirituales" que atraen a nuestra familia cristiana a una mayor unidad.

Ninfa había estado escuchando y asentía con la cabeza, por lo tanto continué:

—Ahora que mamá se ha ido, Ninfa, hagamos ese *caldo* de res, por lo menos una vez al mes en nuestra casa, para todos los García. El *Día de Dar Gracias*[f],

---

[d] *barrio*: parte o distrito de una población grande. En San Antonio, la parte de la ciudad donde predominan méxico-americanos

[e] *buñuelos*: masa de harina en forma de círculo aplanado, frita en aceite que se espolvorea con azúcar o se baña con miel

[f] *Día de Dar Gracias*: día festivo en los Estados Unidos en el cual se reúnen las familias para dar gracias por las bendiciones recibidas durante el año

cada familia puede traer su propia especialidad y nosotros daremos el tradicional pavo americano. Animemos a todos los primos, sobrinos, sobrinas y nietos para que vengan.

—Y en la Navidad —dijo Ninfa entusiasmada—, todas las mujeres García pueden venir y convivir durante la *tamalada*g. Así mantendremos vivas nuestras tradiciones culturales y las combinaremos con las reuniones familiares cristianas en los servicios de alabanza a Dios.

—¡Gracias, Señor Jesucristo! —suspiré profundamente—. A mamá le habría gustado ver esto. Una cosa más: así como mamá lo hizo, jamás dejemos de inculcarles a nuestros hijos que usen su idioma español.

Sin tardanza, a la mañana siguiente hablamos con Jesús, Josefina, Pablo y Jubal:

—Estamos conscientes de que ustedes saben español, pero no lo están practicando—les dije—. Ustedes pueden practicar el inglés en la escuela y en la iglesia con todos sus amigos anglo-americanos y negros, pero aquí en la casa, cuando hablen con su mamá o conmigo, háblenos en español. De esta manera ustedes van a aprender a dominar ambos idiomas. Así que, de hoy en adelante, si a alguno se le olvida y nos habla en inglés, ¡va a lavar los platos después de la cena!

Ellos entendieron y sin discutir contestaron:

—¡Sí!

Mamá les había enseñado muy bien.

Ninfa esperó hasta que salieran del cuarto para hablar:

---

g *tamalada*: reunión de personas con el propósito de preparar o comer *tamales*

—Pienso que está muy bien lo que estás haciendo con nuestros hijos y es de suma importancia. Es tu familia la que les va a dar a nuestros hijos la sensación de pertenecer a algo y una identidad cultural. Yo no puedo localizar mis raíces. Mi verdadera madre murió a los tres días de haberme dado a luz y mi acta de nacimiento dice: "Padre: desconocido". Yo no tengo ningún legado que heredarles a mis hijos.

—¡Seguro que tienes!—rápidamente le recordé—. Dios es tu Padre Celestial y tu familia se compone de todos los hermanos cristianos por la sangre del Señor Jesucristo. EL MEJOR LEGADO, LA MEJOR HERENCIA QUE LES PODEMOS DEJAR A NUESTROS HIJOS ES EL EJEMPLO DE NUESTRA VIDA CRISTIANA.

*   *   *

—¡Ninfa! Tenme listo el desayuno cuando regrese— le grité al salir de la casa—. Voy a ir a ver si Santos necesita algo para papá. Regreso enseguida.

Era la mañana del viernes. Mamá tenía exactamente una semana de haber fallecido.

Santos me saludó en la puerta cuando llegué:

—¿Qué andas haciendo?

—Nada más vine a ver cómo estaban tú y papá—. Entré a la casa.

—Estamos bien —sonrió—. Acabo de dejarlo en su cuarto para darle un poco de privacidad. Tiene puesto el cómodo. Vámonos a la cocina para tomarnos una taza de café con Estela mientras esperamos.

—¿Todavía está en la ciudad?—me sorprendí—. Yo pensé que ya se había regresado a California.

—Estaba preocupada por papá —Estela ya me había escuchado—, y decidí quedarme unos días más.

En ese momento, mi sobrina Linda salió de su cuarto y caminó hacia el fregadero de la cocina por un vaso de agua.

—Es para papá —explicó—. Es hora de que tome su medicina.

—Déjame ayudarte—. Santos se levantó y siguió a Linda hasta el cuarto de papá.

En cuestión de segundos oí una conmoción y voltié justo en el momento en que ellas aparecían otra vez en la entrada de la cocina. Santos estaba pálida.

—¡Papá no se mueve! —dijo tartamudeando y todos corrimos a la recámara.

—¡Papá! —lo llamó Santos—. ¡Despierta, papá! ¡Contéstame!

Los ojos de papá estaban abiertos pero comprendí que el aliento de vida se había apartado de él.

—¡Déjalo, Santos!— traté de hacerla entender.

—¡No, Alfredo! —peleó—. Papá no contesta algunas veces porque no puede oír muy bien… ¡Papá! —lo sacudió—. ¡Papá!

Suavemente la tomé del brazo y la retiré de la cama.

—Ya se fue, Santos. Papá ya se fue.

Llamé a Ninfa y llegó de inmediato. Sin decir palabra, vino y se paró junto a mí. Ya había llamado a la funeraria, y una hora más tarde, dos asistentes sacaron el cuerpo de papá en una camilla, cubierto con una sábana blanca.

—¡Ay, Alfredo! —sollozó Santos—. Perdimos a mamá hace sólo una semana y ahora tenemos que volver a pasar por todo eso con papá.

—El consuelo que tenemos —la consolé— es que él aceptó a Jesucristo como su Salvador personal. Ambos, papá y mamá, están en el cielo.

Llorando suavemente añadió:

—Tengo que avisarle a la familia y hacer los arreglos del funeral.

—Voy contigo —me ofrecí—. Papá fue un verdadero patriota; amó y creyó en los Estados Unidos de América. Quiero que tenga todos los honores dignos de un soldado que amó y peleó por su país: el saludo de veintiún disparos de rifle, el toque de clarín, ¡todos los honores! Yo me encargo de los gastos si es necesario.

—No hay ningún cargo, señor —sonrió el caballero detrás del escritorio—. Sólo necesitamos saber quién recibirá la bandera en el cementerio el día del funeral. Le pertenece a cualquiera de los hijos que estaban viviendo con el señor García a la hora de su muerte.

Todos mis hermanos y hermanas estaban presentes, pero como nadie decía nada yo hablé:

—Esa eres tú, Santos; pero si estás de acuerdo y el resto de la familia no tiene inconveniente, me gustaría quedarme con ella... ¿Puedo?

—Yo voto por dársela a Alfredo —Estela contestó primero.

—Seguro —Santos estuvo de acuerdo—. Puedes quedarte con ella, Alfredo.

Uno por uno, mis hermanos y hermanas aceptaron.

* * *

...Abrazando la bandera de los Estados Unidos de América fuertemente, observé el ataúd de papá mientras descendía a su amada tierra norteamericana. Casi podía oírlo murmurarme al oído:

—Hijo, ésta es la herencia que yo te dejo: mi bandera estadounidense. Yo creí en ella, la amé y luché por ella, y con gusto habría dado mi vida por ella.

—*América*[h], con todos sus errores, sigue siendo el mejor país del mundo, papá —suspiré—. Aquí tengo la libertad de predicar el Evangelio de nuestro Señor Jesucristo y de servir y adorar al Dios vivo.

—Freddie —Ninfa me tocó—. Vámonos para la casa a empacar. Tenemos la presentación de *El Drogadicto* en la ciudad de Houston esta noche, ¿recuerdas?

—Vámonos—accedí—. Acabamos de sepultar a mamá y a papá pero tenemos que seguir adelante. "...El SEÑOR dio y el SEÑOR quitó; bendito sea el nombre del SEÑOR"[4].

* * *

El Auditorio de música de Houston, Texas, tiene una capacidad para más de tres mil personas, y para nuestra sorpresa, estaba lleno.

—¿Cómo te sientes?—me preguntó Ninfa detrás del escenario—. ¿Puedes llevar a cabo la presentación?

—Papá y mamá se han ido para estar con Cristo —le contesté—. Los voy a extrañar... pero tengo la seguridad de que estaremos juntos en el cielo.

—Amén —sonrió—. Gracias, Cristo Jesús.

—Entonces, manos a la obra —la tomé de la mano—. Vamos a hablarle a toda esa gente que está en el auditorio acerca de Jesucristo.

Juan Rivera fue el Maestro de Ceremonias. Inició la reunión con una oración y luego me presentó.

—Hace una semana enterramos a mi madre querida —le dije a la audiencia—. Esta mañana, a las 10:00,

---

[h] América: a diferencia de los otros países que designan con este nombre el continente americano, los estadounidenses suelen referirse a los Estados Unidos

[4] Job 1:21, Biblia de Las Américas

sepultamos a mi padre. Pero esta noche estamos aquí porque Jesucristo vive en nuestros corazones. Venimos a decirles que Él es real y que los ama.

El aplauso fue estruendoso.

—Y ahora, por favor, demos la bienvenida a mi esposa y a mi familia.

Ninfa y Josefina se colocaron a mi lado en el escenario. Pablo estaba al piano con la Banda del Templo Victoria. En un ala del escenario los actores esperaban. A lo largo de las paredes y en los pasillos del auditorio, vi los acostumbrados vestidos rojos de nuestras edecanes y las camisas y boinas rojas de nuestros ujieres.

Ninfa cantó primero; luego Josefina. Sus rostros resplandecían con una luz interior; sus ojos brillaban con lágrimas. Cantaron de la misericordia de Dios y de su poder para cambiar vidas, y parecía como si el mismo Señor Jesucristo llevara el mensaje a los corazones de sus oyentes. Nunca había sentido tan fuertemente la presencia de Dios con nosotros; fortaleciendo, consolando, llenándonos y rodeándonos, fluyendo hacia la gente del atestado auditorio.

Cuando se alzó el telón y el drama *El Drogadicto* dio principio, la audiencia quedó cautivada desde el primero hasta el último de los seis actos. Los actores eran Ninfa, Pablo y yo, junto con Manuel Zertuche, Juan Rivera y otros dos ex-drogradictos. Los extras eran muchachos del Centro Victoria. Yo hice el papel del que vendía la droga, y en la última escena, el predicador. La historia era sencilla. Presentamos la vida de un adicto.

Al fin del drama, me dirigí a la gente y presenté a los actores:

—Ninguno de estos hombres que ustedes ven es actor. Durante cuarenta y cinco minutos han reactuado, simplemente, sus propias vidas para ustedes. En otro tiempo fueron drogadictos de "hueso colorado". Lo que ustedes están viendo esta noche, son milagros vivos, trofeos vivientes, hablando del poder de Dios para cambiar vidas.

—Escúchenme, amigos. El milagro que se realizó en nuestras vidas no ocurrió cuando invocamos los nombres de Sócrates, Carlos Darwin, Karl Marx o Sigmund Freud. Esta transformación ocurrió en nuestras vidas cuando invocamos el nombre de nuestro Señor y Salvador Jesucristo. Fue El quien rompió las cadenas del pecado y de la drogadicción y nos liberó. No tenemos otra alternativa que darle toda la alabanza, todo el honor y toda la gloria a Jesucristo, ¡el Hijo del Dios Vivo!

—Este mismo Jesucristo está aquí esta noche, y el milagro que sucedió en nosotros puede suceder en usted. Lo único que tiene que hacer es venir y pedirle al Señor Jesucristo que lo perdone por todos sus pecados.

La presencia del Espíritu Santo llenó el inmenso auditorio y la gente se levantó de sus asientos y comenzó a pasar al frente. Me invadió una sensación maravillosa al verlos; muchos estaban llorando con las manos levantadas. Subieron hasta el escenario y cayeron de rodillas aclamando el nombre de Cristo Jesús. Otros se amontonaron en las alas laterales, en el frente y en los pasillos. Todos clamaban a Jesucristo para que los perdonara por sus pecados. Desde el fondo del auditorio, una mujer negra gritó:

—¡Veo ángeles! ¡Todo el escenario está lleno de ellos! —corrió por los pasillos gritando—: ¡Veo ángeles! ¡Hay ángeles aquí!

Terminamos muy noche de cargar nuestra pequeña camioneta con los pocos materiales que usamos en el drama. Abracé a Ninfa y le dije:

—Vente, vámonos a casa.

La noche estaba serena y clara, resplandeciendo de estrellas. El camino se extendía ante nosotros y por fin me pude relajar.

—Tenemos mucho que agradecer a Jesucristo—. Busqué y toqué la mano de Ninfa—. El ha sido demasiado bueno con nosotros.

—Realmente muy bueno —suspiró hondamente—. Dios nos ha hecho recorrer un largo camino desde que vagábamos por la calle Guadalupe.

El silencio absorbió nuestros pensamientos momentáneamente y luego no pude contener más lo que estaba en mi corazón.

—Esta mañana, Ninfa, cuando el cuerpo de papá estaba siendo depositado en su tumba, me hice más consciente que nunca de la responsabilidad que me han dado: mamá me hizo amar mi herencia cultural; papá me enseñó a amar a los Estados Unidos de América y Dios me ha dado un amor por El.

—Jesucristo me liberó no sólo de la esclavitud de las drogas y el racismo, sino también del odio a mí mismo. Soy libre para amar mi herencia mexicana sin ser desleal a los Estados Unidos de América; soy libre para amar a los Estados Unidos de América sin rechazar mi herencia mexicana. Libre para aceptar mi propia y especial identidad: méxico-americano.

—Como méxico-americano, me duele ver a nuestra raza vivir una vida de esclavitud, odiándose a sí misma. Me parte el corazón verlos cómo se rebajan a sí mismos y a otros. Como cristiano debo decirles que lo que causa división, riña y miseria entre los hombres, no es la raza, la cultura, el idioma ni la clase, sino el pecado y la rebelión. Que sólo el amor de Dios, a través de Jesucristo, abraza cada raza, nacionalidad, cultura e idioma, pues todos hemos sido creados a Su propia imagen. Jesucristo no elimina diferencias étnicas ni culturales. ¡El las reconcilia! Por esta razón estoy comprometido a predicar el Evangelio de Jesucristo y a hacer discípulos para Dios hasta el día que muera, porque "...la noche viene cuando nadie puede trabajar"[5].

---

[5] Juan 9:4, Biblia de Las Américas

Epílogo

Nuestro Compañerismo Victoria cuenta actualmente con cuarenta iglesias; treinta en Texas, nueve en México y una en Perú. La mayoría tiene ya sus propios Centros Victoria. Se está entrenando a varios discípulos para ser lanzados, algunos tan lejos como a Puerto Rico, Venezuela y España. La mayoría de nuestras iglesias ya se han independizado; otras lo estarán muy pronto. Las iglesias están establecidas en los *barrios*[a] y en las partes más pobres de las ciudades y todavía funcionan con un presupesto muy limitado, la mayoría en pequeños locales comerciales. Nosotros les ayudamos lo mejor que podemos. "La Familia Victoria" sigue unida, y cualquiera que se encuentre en necesidad, puede contar con que se le ayudará.

Nuestras conferencias atraen regularmente una asistencia de más de mil personas, dos veces al año. Nuestra conferencia en español se lleva a cabo en enero; la conferencia en inglés, en julio. Además de esto, José Luis Flores en Corpus Christi, Daniel Ibarra en El Paso y Ramiro Torres, ahora en La Mesa, tienen sus conferencias en sus propias ciudades para aquéllos que no pueden viajar a San Antonio.

Nuestra juventud se contagió con el entusiasmo de las conferencias y pidió tener las suyas. En nuestra junta mensual de pastores, les dije a los muchachos:
—Muchos de nosotros nos concentramos en los

---

[a] *barrios*: parte o distrito de una población grande. En San Antonio, la parte de la ciudad donde predominan méxico americanos

drogadictos y en los alcohólicos y nunca debemos perder de vista esto, pero hay una generación entera de gente joven que necesita ser alcanzada antes de caer víctima de la drogadicción. La prevención es mejor que la rehabilitación. Nuestros jóvenes son los futuros líderes de nuestro compañerismo.

Decidimos realizar una conferencia anual de tres días durante el verano, un poco antes de que comience el año escolar, y una campaña durante las vacaciones navideñas. El propósito es fortalecer a nuestros jóvenes cristianos; prepararlos para enfrentarse con ahínco a la presión de sus colegas en el ambiente escolar.

Nuestra primera conferencia de jóvenes atrajo a cuatrocientos adolescentes. Nuestro Director de Juventud, Juan Zamarripa, y Juan Rivera, dirigieron las sesiones y nuestros jóvenes que estaban siendo *discipulados*[b], fueron los oradores. Ellos retaron a todos nuestros jóvenes a llevar el Evangelio a sus compañeros escolares no creyentes.

Nuestra primera conferencia de mujeres se realizó en inglés con una asistencia de trescientas mujeres los tres días de reuniones. Nuestra segunda conferencia, en español, atrajo a quinientas. Nuestras conferencias de mujeres se llevan a cabo ahora en abril y en octubre.

El drama es una parte esencial de todas nuestras conferencias y en nuestro ministerio. Es un medio efectivo para la enseñanza y la evangelización. EL BULE, un drama sobre la presión incomparable entre los jóvenes y el abuso de la droga, fue escrito por

---

[b] *discipulado*: como nombre; se refiere al que está recibiendo entrenamiento, estudiante

Juan Zamarripa. Se presenta en las escuelas y en las cárceles, en centros cívicos, en patios, en parques y en las calles. Ha sido presentado inclusive en las cámaras del *Concilio*[c] de la Ciudad de San Antonio y en la escalera de entrada del edificio de la Corte Municipal. La presentación de EL BULE, grabada en video, es usada también por nuestros equipos que enseñan la prevención de las drogas en varias escuelas y prisiones. Más de una docena de dramas se han sumado a nuestra lista, muchos de éstos escritos por los mismos actores. Otros medios efectivos son las comedias breves, presentadas por nuestro "ministerio de payasos". Todos nuestros dramas llevan el mensaje de salvación.

Las escuelas primarias me pidieron que elaborara un programa sobre la prevención de drogas para los niños que aún son muy pequeños para sacarles provecho a los discursos. Fue así como nació la idea de un teatro de títeres. La historia de "La Pequeña Mari Juana", quien presenta a Freddie a su familia de drogas más potentes, ha sido escenificada en la mayoría de las escuelas primarias de San Antonio con muy buena aceptación. Nuestros títeres son populares en las iglesias y también en los *barrios*. Se ha añadido nuevo material, y durante el verano, nuestros niños de nueve a doce años son quienes con entusiasmo manipulan los títeres.

El ministerio de la música también está creciendo. Aparte de la grabación hecha por el coro de nuestros ex-drogadictos, "El Corrido de San Antonio", que narra la historia de nuestro trabajo en la ciudad, ha

---

[c] *Concilio*: Grupo de personas elegidas por la comunidad que rigen los intereses del municipio

sido grabado en español y colocado en las sinfonolas de todo Texas. La versión en español de "El Corrido de Freddie García" será puesta en cantinas y pronto saldrá la versión en inglés. La grabación de Ninfa, hecha en vivo en el Templo Victoria, está en español. Josefina hizo una grabación en inglés y Pablo grabará uno en inglés este año.

En junio de 1984, nos llamaron de la oficina del Alcalde Henry Cisneros. Se me pidió que me presentara en una junta de los miembros del *Concilio* de la Ciudad. Estuve ahí con mi familia, las muchachas de la oficina, mis discípulos, Nando Flores y todos los muchachos del Centro Victoria. Vi desfilar a nuestros muchachos muy afeitados y bien vestidos e impecablemente limpios. En un momento de sus vidas todos habían sido "huéspedes" de la cárcel de la ciudad o de la penitenciaria del Estado. Ellos habían contribuido al problema de las drogas y la violencia en la ciudad y en el Estado. Ahora venían a dar testimonio de la solución.

El Alcalde Cisneros me llamó al frente. Después leyó una proclama, reconociéndome como "Benefactor de la Comunidad":

—Este extraordinario municipio ganó su lugar entre las ciudades especiales de *América*[d], por las muchas contribuciones hechas en el pasado por gente especial como usted. Nuestra ciudad actual no es ni más ni menos que la suma de todos estos esfuerzos.

El Alcalde y los miembros del *Concilio* de la ciudad reconocen sus muchos años de servicio a la

---

[d] *América*: A diferencia de los otros países que designan con este nombre al continente americano, los estadounidenses suelen referirse a los Estados Unidos

comunidad. Su ejemplo de determinación y el duro esfuerzo por liberarse, primero usted mismo y luego a otros, de la esclavitud de la drogadicción, ha puesto el mejor ejemplo posible de que el amor a Dios y una firme confianza en la propia estima pueden hacer maravillas en la sociedad de hoy. Su dedicación y "Alcance Cristiano" hacia otros, es verdaderamente una muestra segura de la victoria sobre la adversidad. En esta hora, el Alcalde y el *Concilio* de la ciudad traen a la atención de todos los ciudadanos de San Antonio sus muy importantes contribuciones y lo proclaman

"BENEFACTOR DE LA COMUNIDAD"

La comunidad tiene con usted una gran deuda de gratitud. Siempre deberá sentirse orgulloso de saber que usted ha sido incluido en el rango de los eminentes sanantonianos que han hecho de esta ciudad un lugar tan excepcional con tanto futuro. Como testigo de lo cual he firmado y expedido el sello de la ciudad de San Antonio para fijarlo en este día 14 de junio de 1984.

Henry Cisneros, Alcalde.

La ceremonia fue transmitida en vivo por la televisión y yo tuve oportunidad de decir Quién es el *verdadero benefactor*, el Unico que cambió mi vida y la vida de los hombres que estaban conmigo, **EL SEÑOR JESUCRISTO**, la única solución perdurable a los problemas de dolor y sufrimiento humanos, en las calles de la ciudad, en el hogar o en las cámaras del *Concilio*.

Nuestra historia continúa. Diariamente, Pablo Torres "El Risas" y Ramón Ibarra, "El Lembo", llevan a sus equipos evangelísticos a las calles, a las cantinas, a las cárceles y a los hospitales. Juan Zamarripa lleva su grupo a las escuelas. Todos los días, hombres, mujeres y jóvenes, aparecen a la puerta del Centro Victoria, del cual Nando Flores es director. Nunca se les cerrarán las puertas, aun cuando lo único que podamos ofrecerles sea un plato de frijoles y un colchón en el piso. Sin embargo, las riquezas que ellos encuentran en Cristo Jesús, no pueden compararse con ningún tesoro de la tierra.

San Antonio, Texas, octubre de 1987.
Freddie García

Si usted desea saber más acerca del trabajo de Freddie García o le gustaría formar parte de su ministerio, escríbale a

Freddie García
P.O. Box 37387
San Antonio, Texas, 78237 USA

LOS GARCIA

Mamá
Josefa

Papá
Feliciano

LA VIDA DE FREDDIE

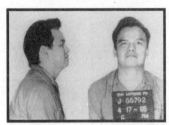

Fichado en 1965
San Antonio, Texas

Graduado en 1970
de la Escuela Bíblica
Latinoamericana

Freddie se despide de su Papá — 1981

Pastor del Templo Victoria — 2002

NUESTROS HIJOS

Francisco   Ricardo   Sandra

Jesús   Josefina   Pablo

Jubal

Centro Nacional Empresarial
Del Vecindario
Reconocimiento de Logros a pesar de la Adversidad
1990

Jesús, Josefina, Pablo, Ricardo, Francisco
Ninfa, Freddie, Jubal

Cruzada en la Cd. de San Antonio
Dic 1976

David Wilkerson, Sonny Arguinzoni y
Freddie García